黃道周書法名品

中國碑帖名品

［九十二］

上海書畫出版社

前言

中華文明綿延五千餘年，文字實具第一功。從倉頡造字而雨粟鬼泣的傳説起，歷經華夏子民智慧聚集、薪火相傳，終使漢字生生不息、蔚爲壯觀。伴隨著漢字發展而成長的中國書法，基於漢字象形表意的特性，在一代又一代書寫者的努力之下，最終超越其實用意義，成爲一門世界上其他民族文字無法企及的純藝術，并成爲漢文化的重要元素之一。在中國知識階層看來，書法是中國人『澄懷味象』、寓哲理於詩性的藝術最高表現方式，她净化、提升了人的精神品格，歷來被視爲『道』『器』合一。而事實上，中國書法確實包羅萬象，從孔孟釋道到各家學説，從宇宙自然到社會生活，中華文化的精粹，在其間都得到了種種反映，書法無愧爲中華文化的載體。書法又推動了漢字的發展，篆、隸、草、行、真五體的嬗變和成熟，源於無數書家承前啓後、對漢字美的不懈追求，多樣的書家風格，則愈加顯示出漢字的無窮活力。那些最優秀的『知行合一』的書法家們是中華智慧的實踐者，他們彙成的這條書法之河印證了中華文化的發展。

因此，學習和探求書法藝術，實際上是瞭解中華文化最有效的一個途徑。歷史證明，漢字及其書法衝破了民族文化的隔閡和時空的限制，在世界文明的進程中發生了重要作用。我們堅信，在今後的文明進程中，這一獨特的藝術形式，仍將發揮出巨大的力量。然而，在當代這個社會經濟高速發展、不同文化劇烈碰撞的時期，書法也遭遇前所未有的挑戰，這其間自有種種因素，而漢字書寫的退化，或許是書法之道出現踟躕不前窘狀的重要原因，因此，有識之士深感傳統文化有『迷失』、『式微』之虞。書法藝術的健康發展，有賴對中國文化、藝術真諦更深刻的體認，彙聚更多的力量做更多務實的工作，這是當今從事書法工作的專業人士責無旁貸的重任。

有鑒於此，上海書畫出版社以保存、還原最優秀的書法藝術作品爲目的，承繼五十年出版傳統，出版了這套《中國碑帖名品》叢帖。該叢帖在總結本社不同時段字帖出版的資源和經驗基礎上，更加系統地觀照整個書法史的藝術進程，彙聚歷代尤其是今人對不同書體不同書家作品（包括新出土書迹）的深入研究，以書體遞變爲縱軸，以書家風格爲横綫，遴選了書法史上最優秀的書法作品彙編成一百册，再現了中國書法史的輝煌。

爲了更方便讀者學習與品鑒，本套叢帖在文字疏解、藝術賞評諸方面做了全新的嘗試，使文字記載、釋義的屬性與書法藝術造型、審美的作用相輔相成，進一步拓展字帖的功能。同時，我們精選底本，并充分利用現代高度發展的印刷技術，精心校核，原色印刷，幾同真迹，這必將有益於臨習者更準確地體會與欣賞，以獲得學習的門徑。披覽全帙，思接千載，我們希望通過精心編撰、系統規模的出版工作，能爲當今書法藝術的弘揚和發展，起到綿薄的推進作用，以無愧祖宗留給我們的偉大遺産。

上海書畫出版社

簡介

黄道周（一五八五—一六四六），明代書家。字幼玄，一字螭若，號石齋。福建漳州人。天啓二年進士，選庶吉士，授編修，歷官禮部尚書兼兵部尚書。學貫古今，以文章風節高天下。真、草、隸書自成一家。行筆嚴峻方折，不偕流俗，一如其人。

《孝經册》是黄道周一生書寫最多的作品，傳其曾在獄中十五個月書寫《孝經》一百二十本。他曾在《孝經大傳序》中言：『臣觀《孝經》者，道德之淵源，治化之綱領也，六經之本皆出《孝經》。』由此可知其一再書之的用意所在了。此《孝經册》小楷，字雖小而氣息渾厚，字體棱角分明，極見其人性情，誠爲上乘之作。

《手札册》選自《石齋先生小簡真迹》及《明清名賢尺牘》，現藏朵雲軒。《石齋先生小簡真迹》歷經無錫秦文錦、其子藝苑真賞社秦清曾遞藏，傳承有緒。此册前有清人胡勳裕題簽，後有雍正九年辛亥（一七三一）山陰潘寧長跋。秘藏藝苑真賞社上百年，頗爲珍貴。此册所收各札，皆非刻意之作，與習見黄書略有不同，但點畫行筆之間，黄字隸草風格無處不在。信札的内容，對研究黄道周經歷、思想和南明史，都有重要意義。《致韞生札》選自《明清名賢尺牘》，風格與《石齋先生小簡真迹》字體相比，持重老辣，如端人正士。

《石城寺諸友過集詩軸》爲黄道周行草代表作之一。字勢雄强雅健，氣清神足，人字合一，可見其人之性情。

孝經册

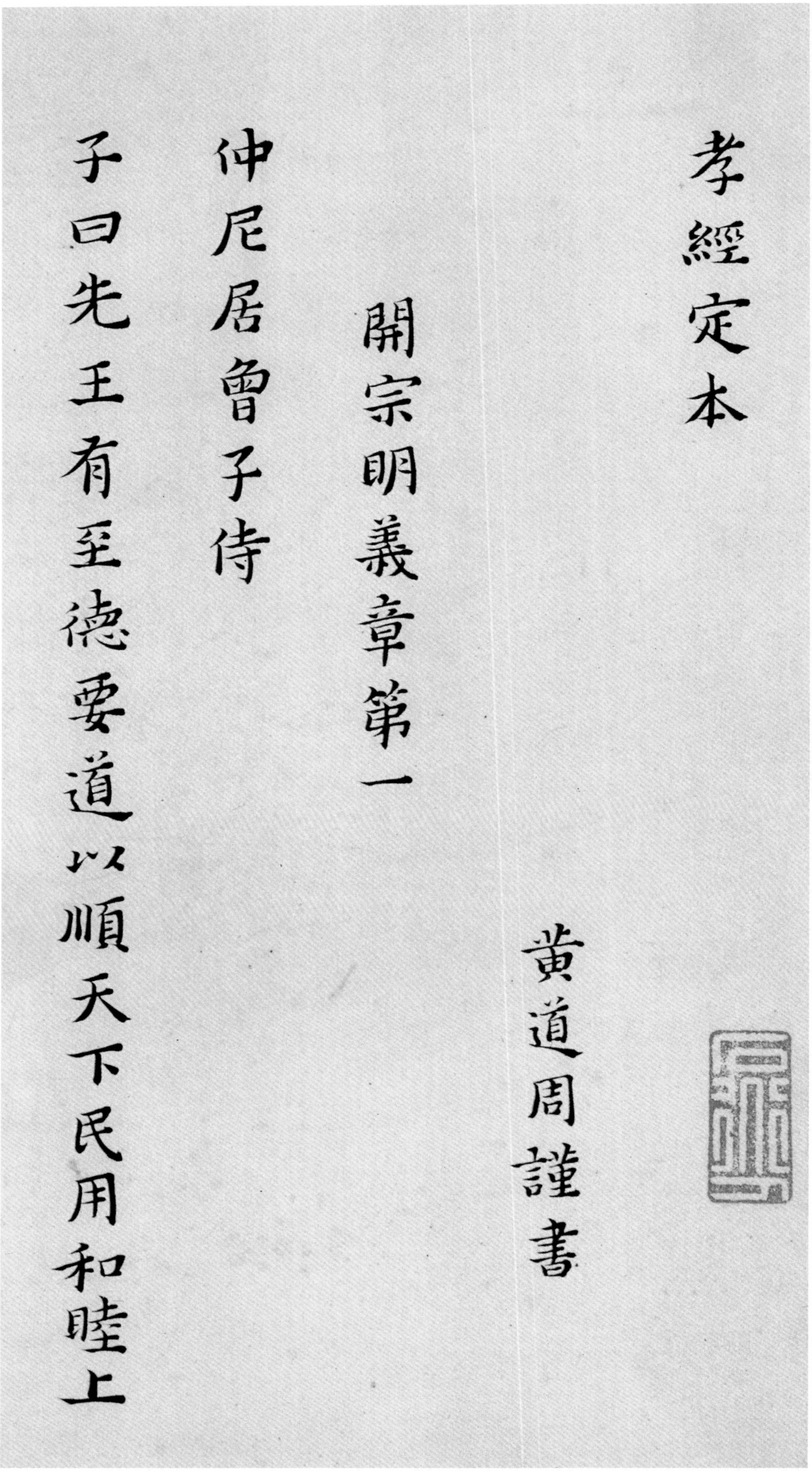
孝經定本
開宗明義章第一
仲尼居曾子侍
子曰先王有至德要道以順天下民用和睦上
黃道周謹書

孝經定本。/黃道周謹書。/開宗明義章第一。/仲尼居，曾子侍。/子曰：『先王有至德要道，以順天下，民用和睦，上/

仲尼：孔子之字。
曾子：曾參，字子輿，孔子的弟子。
先王：先代的聖賢帝王。
用：因而。

下無怨。汝知之虖？』/曾子辟席曰：『參不敏，何足以知之？』/子曰：『夫孝，德之本也，教之所繇生也。復坐，吾語/汝。身體髮膚，受之父母，不敢毀傷，孝之始也。/立身行道，揚名於後世，以顯父母，孝之終也。/

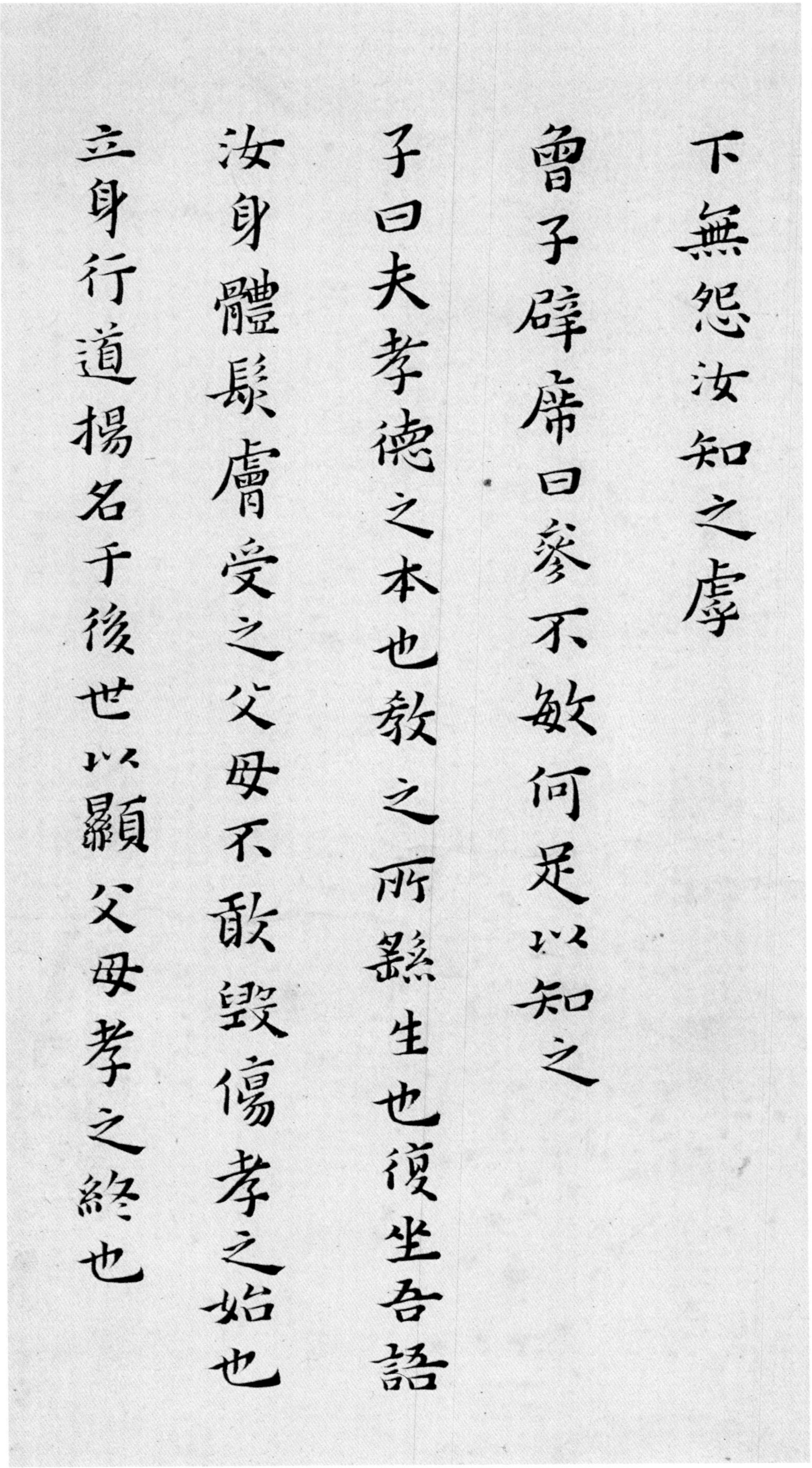

虖：同『乎』。

辟席：同『避席』。離席而起，以示敬意。

教之所繇生也：此句說孝是一切道德的根本，一切教化的出發點。繇：通『由』。

終於立身：建功立業、光宗耀祖是孝行的終極目標。

聿脩厥德：謂繼承發揚先人的德業。聿：述。

慢：傲慢，不敬。

德教：道德修養的教育。

刑：通「型」。典範，榜樣。

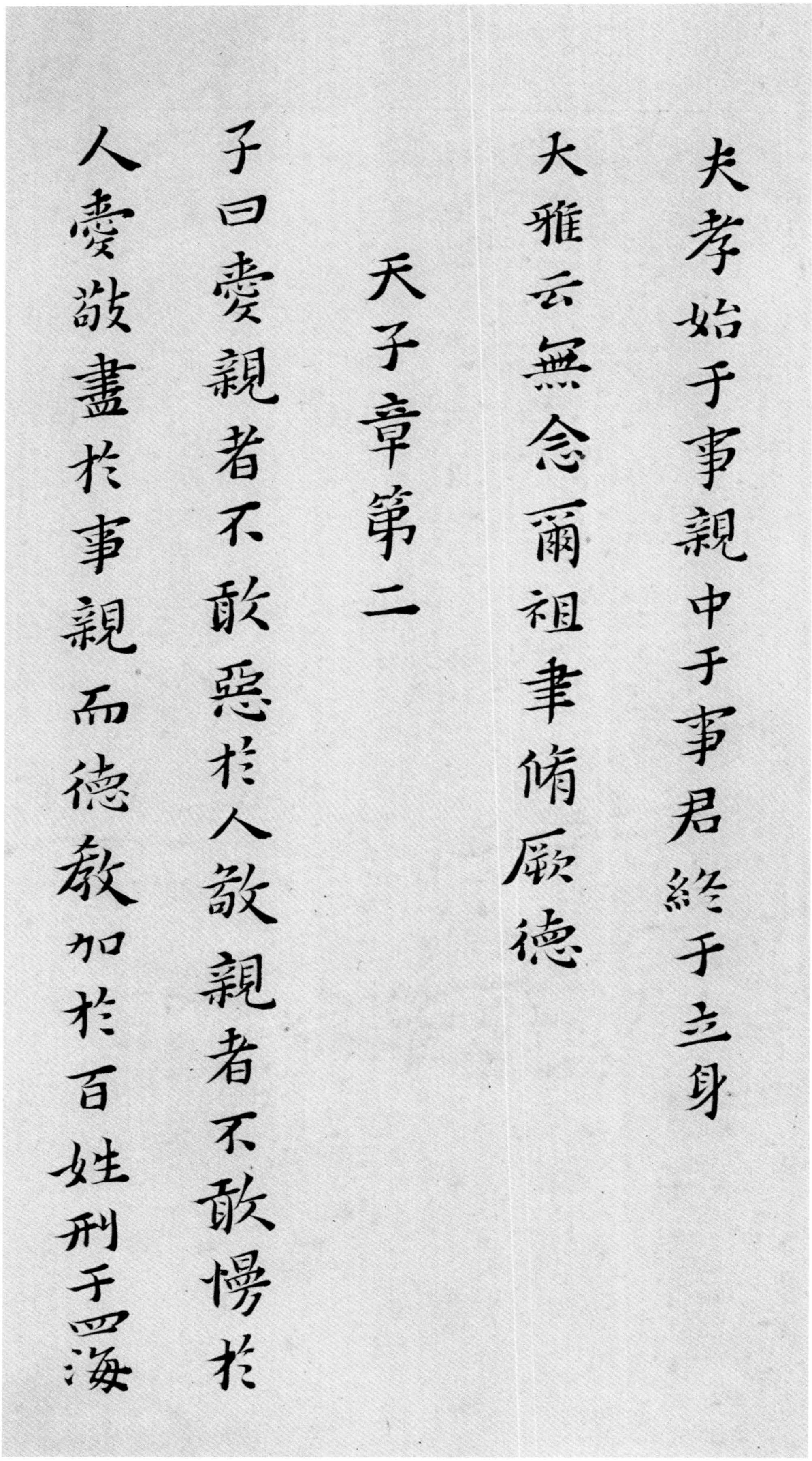
夫孝始于事親中于事君終于立身
大雅云無念爾祖聿脩厥德
天子章第二
子曰愛親者不敢惡於人敬親者不敢慢於
人愛敬盡於事親而德教加於百姓刑于四海

夫孝，始於事親，中於事君，終於立身。／《大雅》云：「無念爾祖，聿脩厥德。」』／天子章第二。／子曰：『愛親者，不敢惡於人；敬親者，不敢慢於／人。愛敬盡於事親，而德教加於百姓，刑於四海。／

蓋天子之孝也。／《甫刑》云：「一人有慶，兆民賴之。」』／諸侯章第三。／在上不驕，高而不危；制節謹度，滿而不溢。高而／不危，所以長守貴也；滿而不溢，所以長守富也。／

《甫刑》：《尚書·呂刑》篇的別名。

慶：善。

兆民：萬民。

制節：節儉有制約。

謹度：指舉止謹慎而合乎禮儀法度。

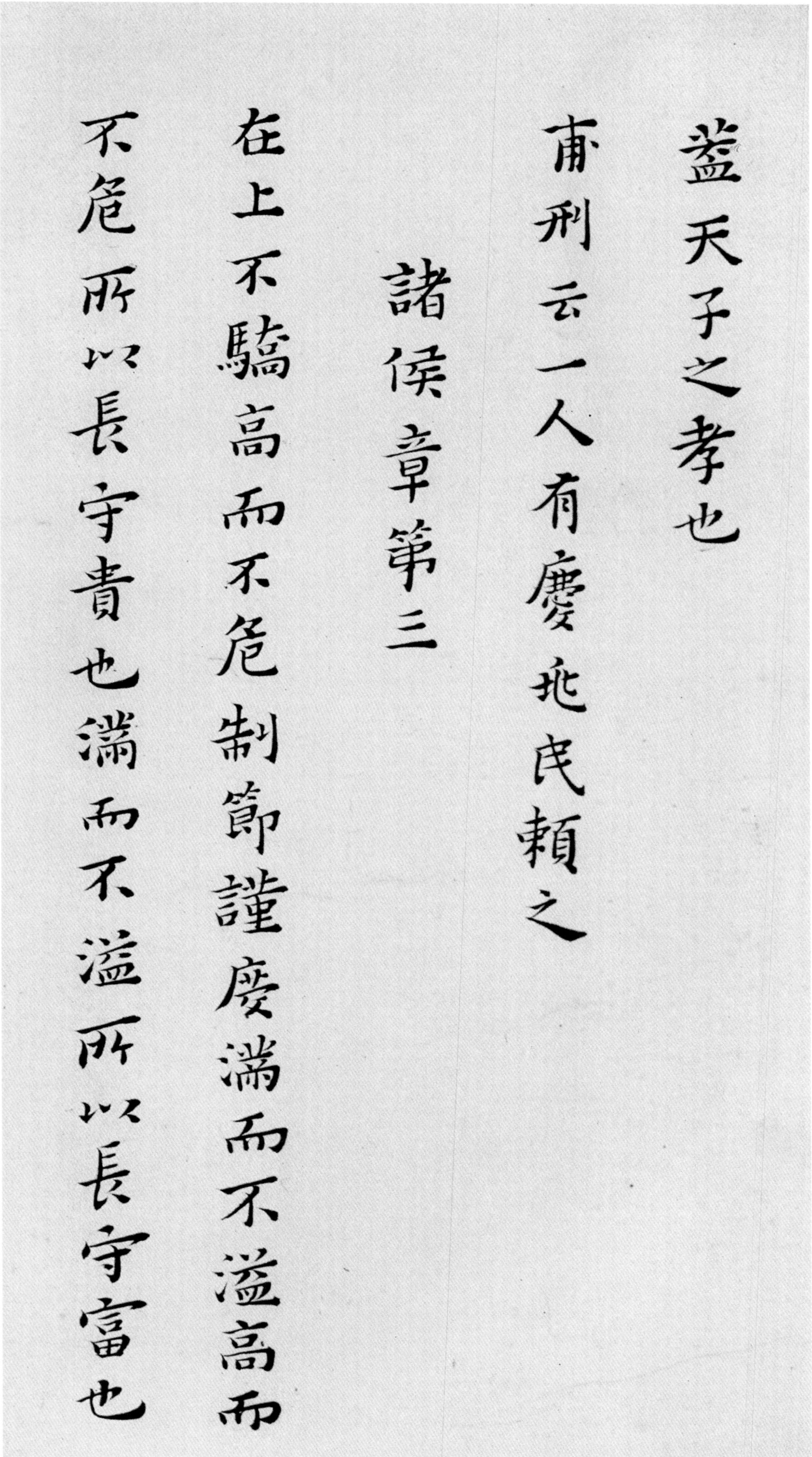
蓋天子之孝也
甫刑云一人有慶兆民賴之
諸侯章第三
在上不驕高而不危制節謹度滿而不溢高而
不危所以長守貴也滿而不溢所以長守富也

社稷：指國家。『社』本指土地神，『稷』本指穀神。

灋：同『法』。法服：按禮法規定的式樣、顏色、花紋、質料等縫製的服裝。古代服裝代表不同的等級制度。

灋言：合乎禮法的言論。

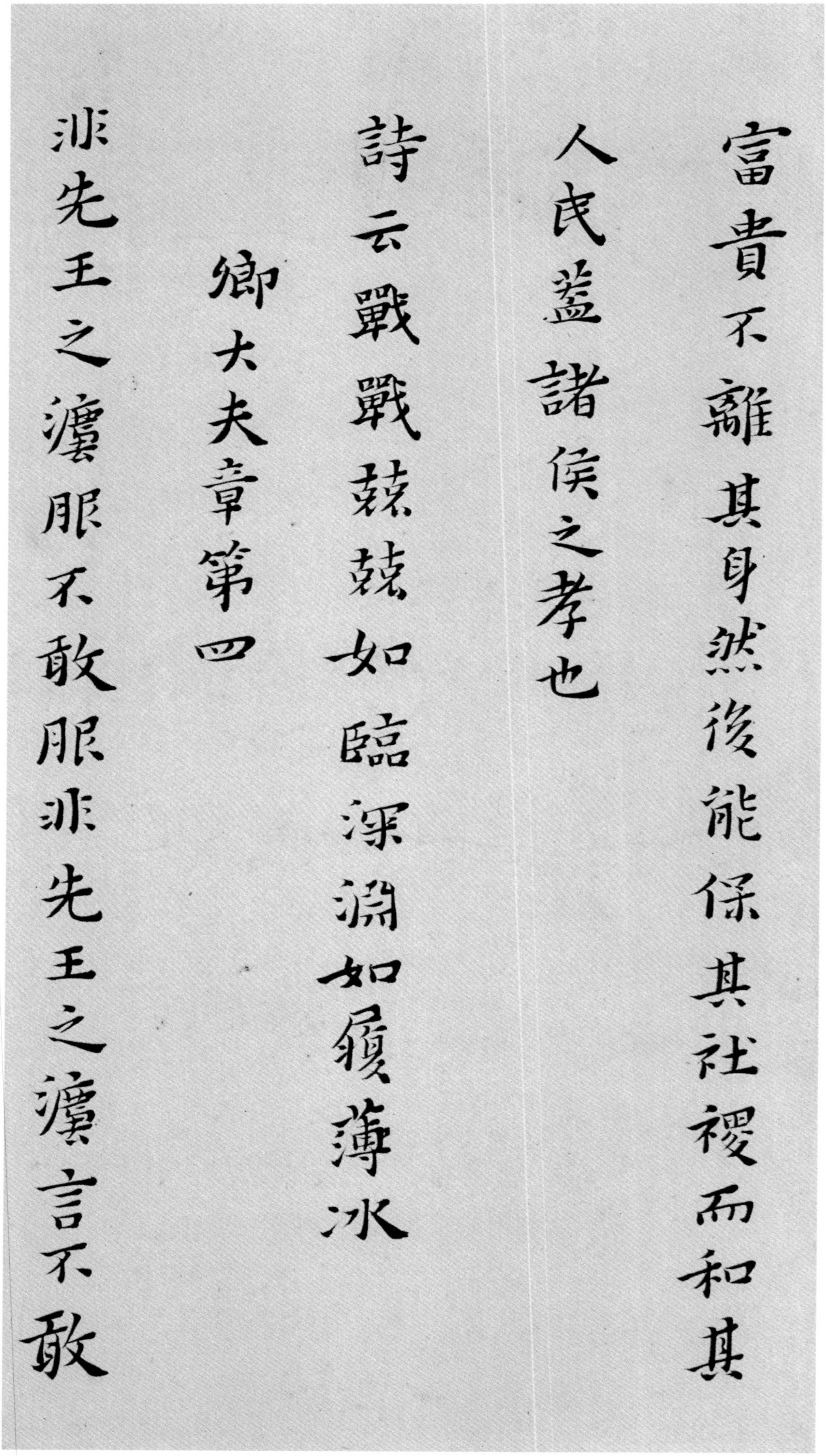
富貴不離其身然後能保其社稷而和其人民蓋諸侯之孝也詩云戰戰兢兢如臨深淵如履薄冰卿大夫章第四非先王之灋服不敢服非先王之灋言不敢

富貴不離其身，然後能保其社稷，而和其／人民。蓋諸侯之孝也。／《詩》云：『戰戰兢兢，如臨深淵，如履薄冰。』／卿大夫章第四。／非先王之灋服不敢服，非先王之灋言不敢／

道，非先王之德行不敢行。是故非灋不言，非／道不行。口無擇言，身無擇行。言滿天下無口／過，行滿天下無怨惡。二（三）者備矣，然後能守其／宗廟。蓋卿大夫之孝也。／
《詩》云：『夙夜匪解，以事一人。』／

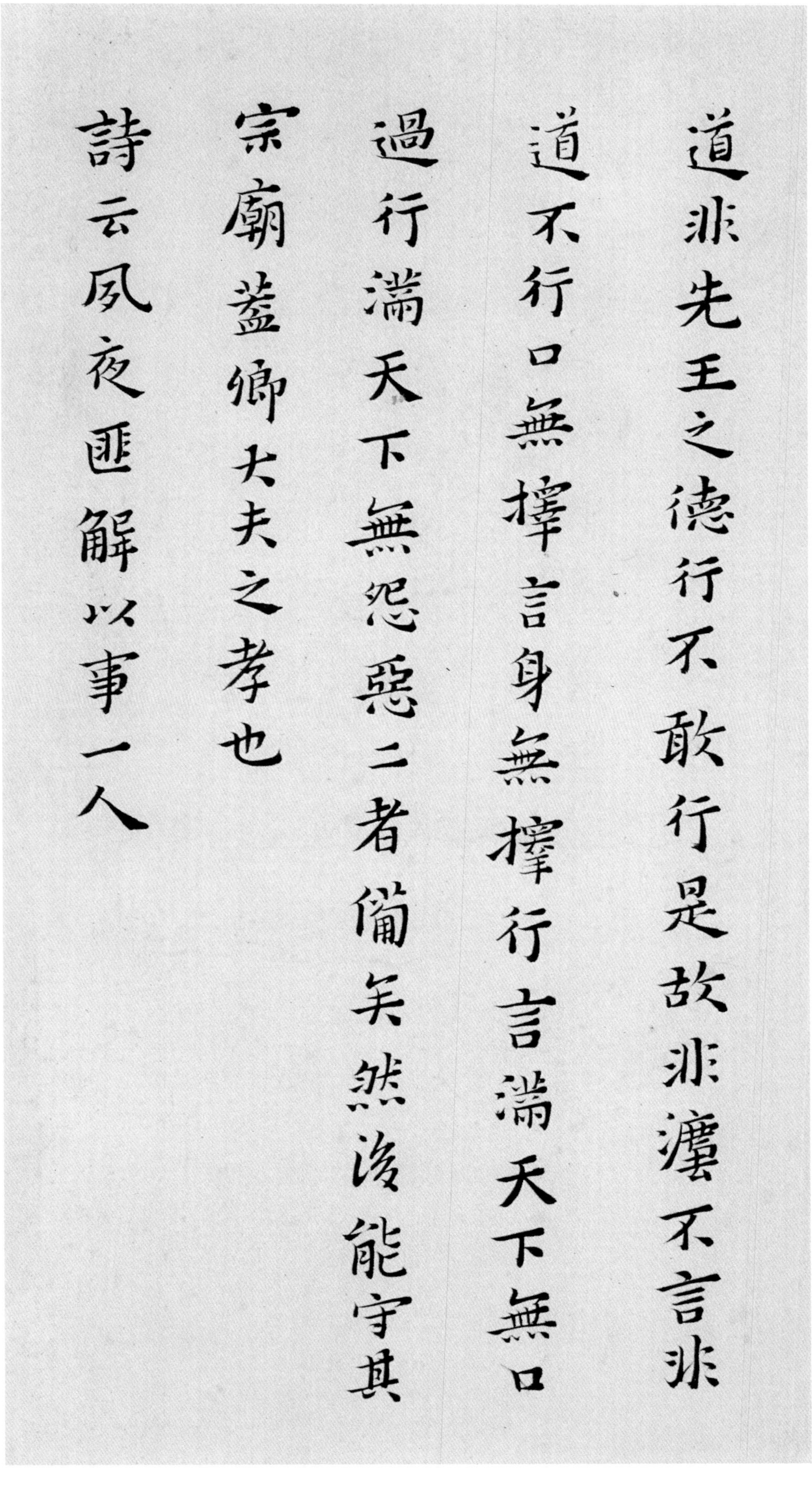
道非先王之德行不敢行是故非灋不言非
道不行口無擇言身無擇行言滿天下無口
過行滿天下無怨惡二者備矣然後能守其
宗廟蓋卿大夫之孝也
詩云夙夜匪解以事一人

三者：指服、言、行。即灋服、灋言、德行。

夙夜匪解，以事一人：語出《詩經·大雅·烝民》。夙：早。匪：通『非』。解：通『懈』，怠惰。一人：原指周天子。原詩讚美周宣王的卿大夫仲山甫，從早到晚，毫無懈怠，盡心竭力地奉事宣王。

資：取。

兼之者父也：指侍奉父親，則兼有愛心和敬心。

忠順不失：在忠誠與順從兩個方面都做到沒有缺失。

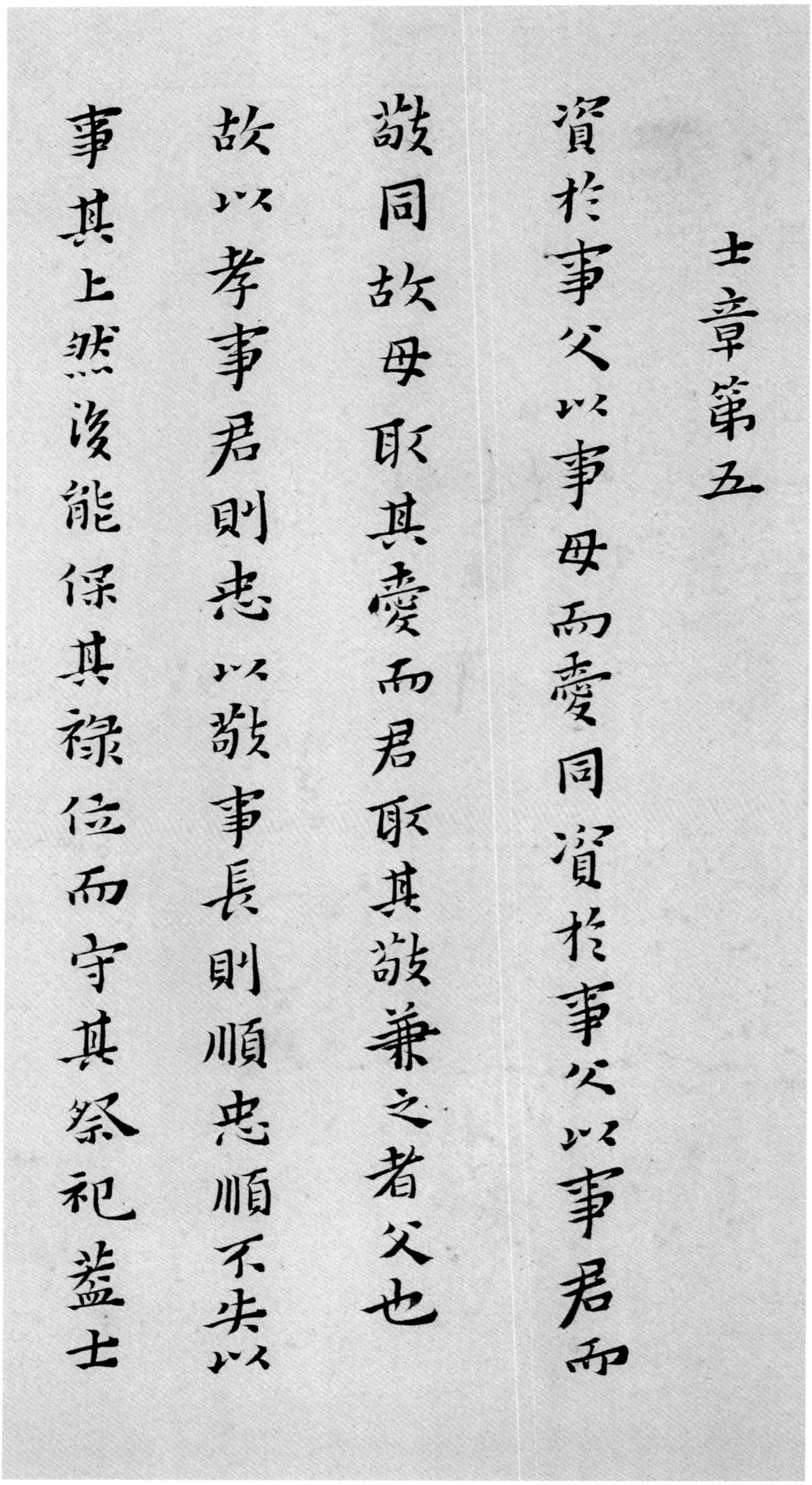
士章第五
資於事父以事母而愛同資於事父以事君而
敬同故母取其愛而君取其敬兼之者父也
故以孝事君則忠以敬事長則順忠順不失以
事其上然後能保其禄位而守其祭祀蓋士

士章第五。／資於事父以事母，而愛同；資於事父以事君，而／敬同。故母取其愛，而君取其敬，兼之者父也。／故以孝事君則忠，以敬事長則順。忠順不失，以／事其上，然後能保其禄位，而守其祭祀。蓋士／

之孝也。／《詩》云：『夙興夜寐，無忝爾所生。』／庶人章第六。／用天之道，分地之利，謹身節用，以養父母，此／庶人之孝也。／

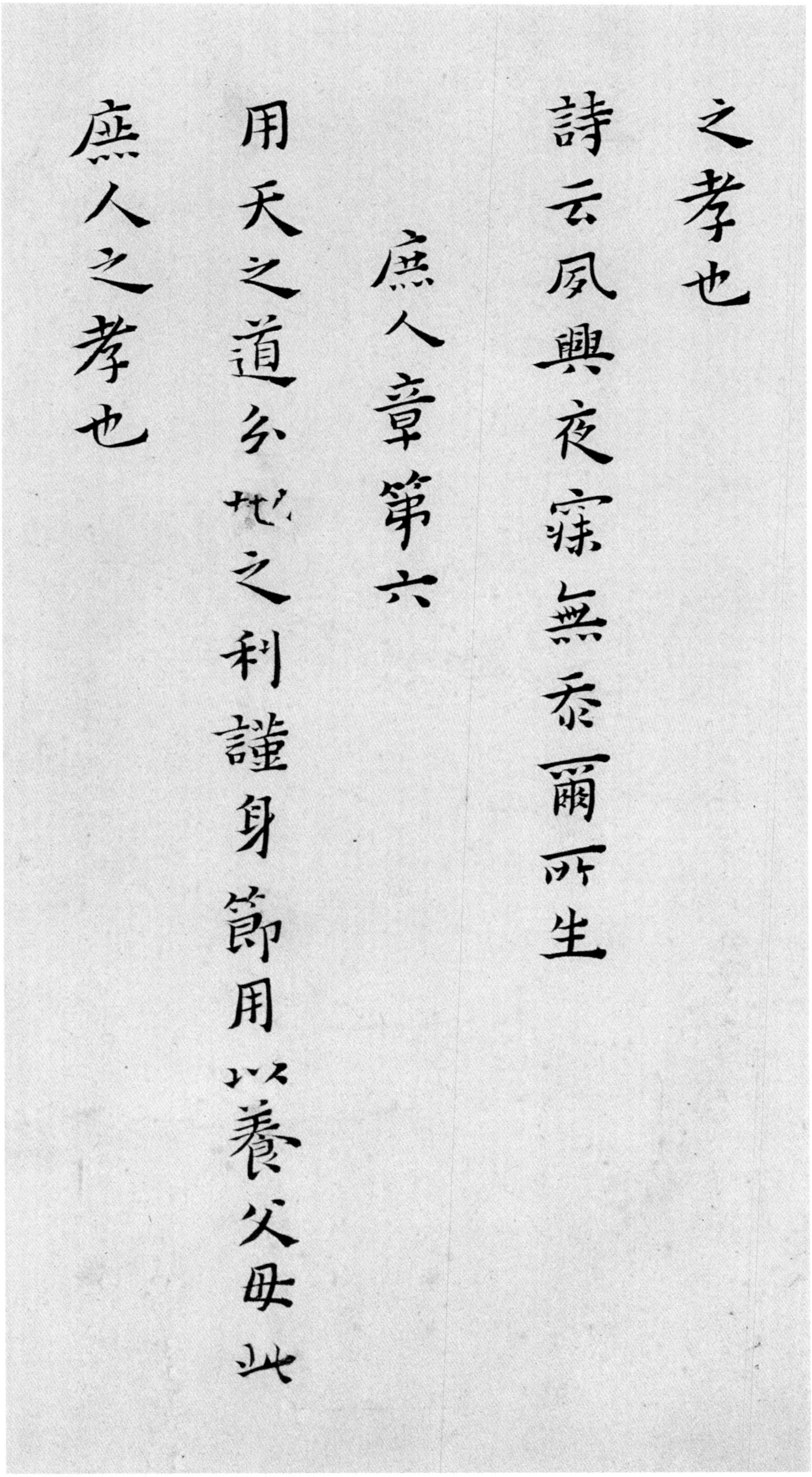
之孝也
詩云夙興夜寐無忝爾所生
庶人章第六
用天之道分地之利謹身節用以養父母此
庶人之孝也

夙興夜寐，無忝爾所生：語出《詩經·小雅·小宛》。興：起。寐：睡。忝：辱。爾所生：生你的父母。

用天之道：按季節時令的變化安排農事和生活。

分地之利：因地制宜，種植適宜當地生長的農作物，以獲取地利。

孝無終始：指孝的含義非常廣大，從天子到庶人都涵蓋在內，無終無始，永恒存在。

患不及者，未之有也：指不受孝行規範的人是沒有的。

『我稼既同』數句：語出《詩經・豳風・七月》。大意是：莊稼活剛做完，又爲公家建宮室。白天割茅草，夜裏搓草繩。趕緊上房蓋屋頂，春天到來要播種。

三才：指天、地、人。《易・説卦》：『是以立天之道曰陰與陽，立地之道曰柔與剛，立人之道曰仁與義。兼三才而兩之，故《易》六畫而成卦。』

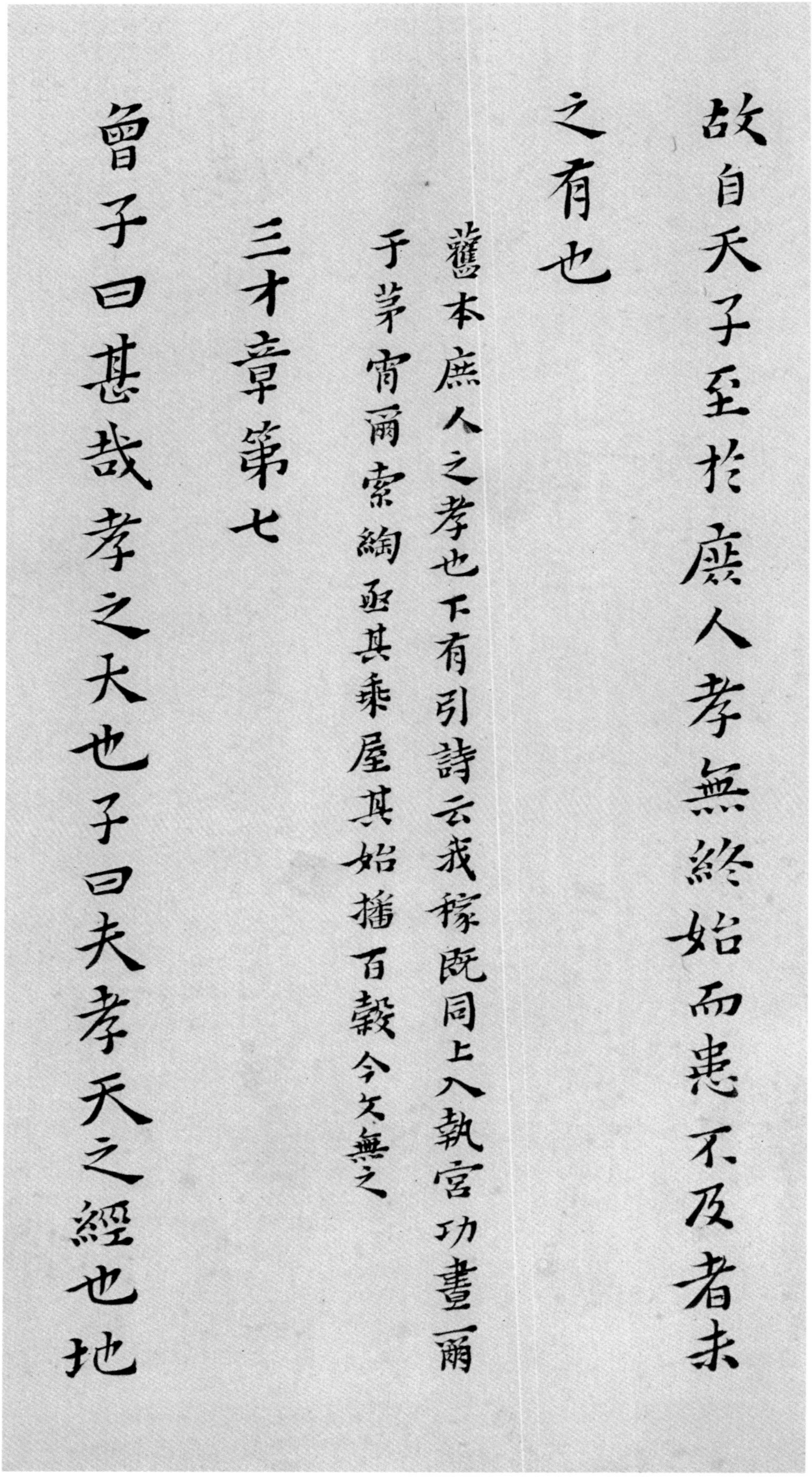
故自天子至於庶人孝無終始而患不及者未之有也 舊本庶人之孝也下有引詩云我稼既同上入執宮功晝爾于茅宵爾索綯亟其乘屋其始播百穀今文無之 三才章第七 曾子曰甚哉孝之大也子曰夫孝天之經也地

故自天子至於庶人，孝無終始，而患不及者，未／之有也。／（舊本『庶人之孝也』，下有引《詩》云：『我稼既同，上入執宮功。晝爾／於茅，宵爾索綯，亟其乘屋，其始播百穀。』今文無之。）／三才章第七。／曾子曰：『甚哉，孝之大也！』子曰：『夫孝，天之經也，地／

之義也，民之行也。天地之經，而民是則之。則天之／明，因地之利，以順天下。是以其教不肅而成，其政不／嚴而治。／先王見教之可以化民也，是故先之以博愛，而民莫／遺其親，敶之德義，而民興行。身之以敬讓，而民／

之義也民之行也天地之經而民是則之則天之
明因地之利以順天下是以其教不肅而成其政不
嚴而治
先王見教之可以化民也是故先之以博愛而民莫
遺其親敶之以德義而民興行身之以敬讓而民

則：效法，作爲準則。

不肅而成：不用嚴厲的手段就能達成。

敶：同『陳』。布置，展示。

化民：指用教育的辦法化育人民。

赫赫師尹，民具爾瞻：語出《詩經·小雅·節南山》。師尹，指周太師尹氏。具：通「俱」。此句意爲：威嚴顯赫的太師尹氏，人民都在仰望着你。

明王：聖明的君主。《左傳·宣公十二年》：「古者明王伐不敬。」

小國之臣：小國派遣來的使臣。

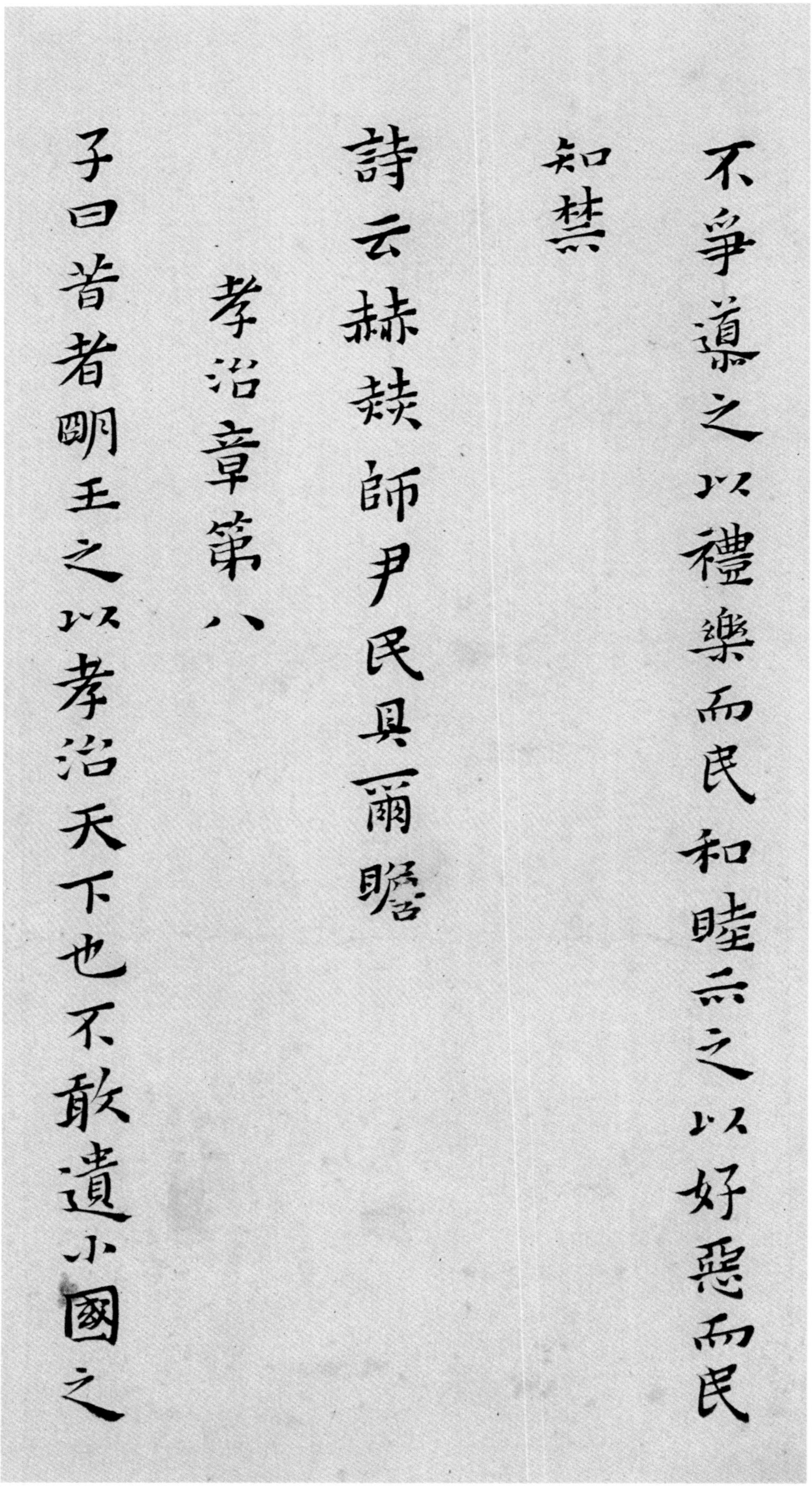
不爭導之以禮樂而民和睦示之以好惡而民
知禁
詩云赫赫師尹民具爾瞻
孝治章第八
子曰昔者明王之以孝治天下也不敢遺小國之

不爭；導之以禮樂，而民和睦；示之以好惡，而民／知禁。／《詩》云：「赫赫師尹，民具爾瞻。」／孝治章第八。／子曰：『昔者明王之以孝治天下也，不敢遺小國之／

臣，而況於公、侯、伯、子、男虖？故得萬國之懽心，／以事其先王。／治國者，不敢侮於鰥寡，而況於士民虖？故得百／姓之懽心，以事其先君。／治家者，不敢失於臣妾，
而況於妻子虖？故得人／

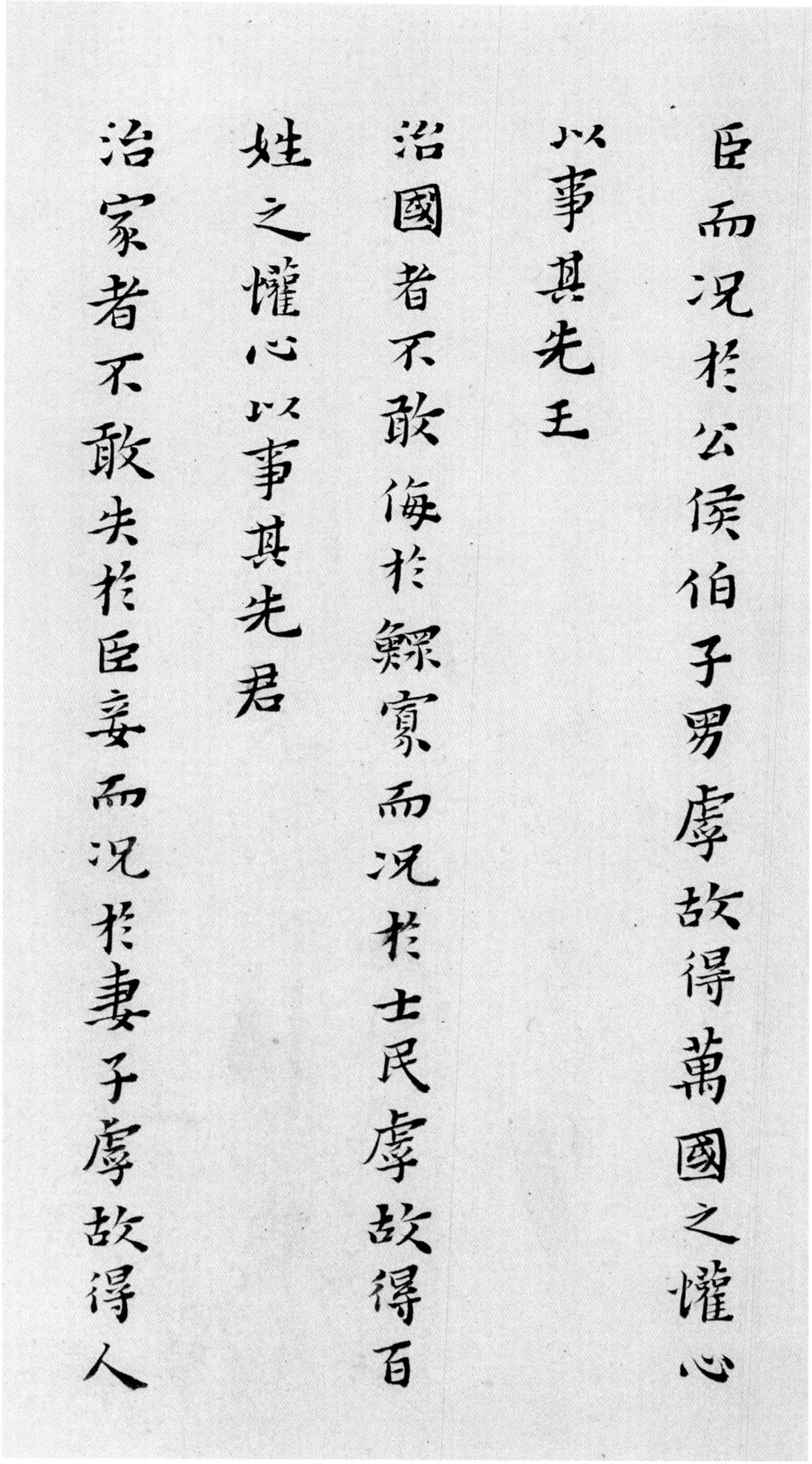
臣而況於公侯伯子男虖故得萬國之懽心
以事其先王
治國者不敢侮於鰥寡而況於士民虖故得百
姓之懽心以事其先君
治家者不敢失於臣妾而況於妻子虖故得人

公、侯、伯、子、男：周朝分封諸侯的五等爵位。

懽：同『歡』。

先王：指已去世的父祖。

鰥寡：喪妻者爲鰥夫，喪夫者爲寡婦。《孟子·梁惠王下》：『老而無妻曰鰥，老而無夫曰寡。』

先君：先人，父祖。

臣妾：指家内的奴隸，男性奴隸曰臣，女性奴隸曰妾。也泛指卑賤者。

生則親安之：生，活着的時候。安，安樂，安心。之，指雙親。

旣：同『禍』。

有覺德行，四國順之：語出《詩經·大雅·抑》。大意是：天子有偉大的德行，四方各國都順從他的教化，服從他的統治。覺：大。四國：四方之國。

之懽心以事其親

夫然故生則親安之祭則鬼享之是以天下和平災

害不生旣亂不作故明王之以孝治天下也如此

詩云有覺德行四國順之 定本故明王作古明王

聖治章第九

之懽心，以事其親。〈夫然，故生則親安之，祭則鬼享之。是以天下和平，灾〈害不生，旣亂不作。故明王之以孝治天下也如此。〉《詩》云：「有覺德行，四國順之。」〉（定本『故明王』作『古明王』。）〉聖治章第九。

敢：謙詞。約相當於冒昧之意思。

曾子曰：『敢問聖人之德，無以加於孝虖？』／子曰：『天地之性，人爲貴。人之行，莫大於孝。孝莫大於／嚴父。嚴父莫大於配天，則周公其人也。／昔者，周公郊祀后稷以配天，宗祀文王於明堂，以配／上帝。是以四海之內，各以其職來祭。夫聖人之德，／

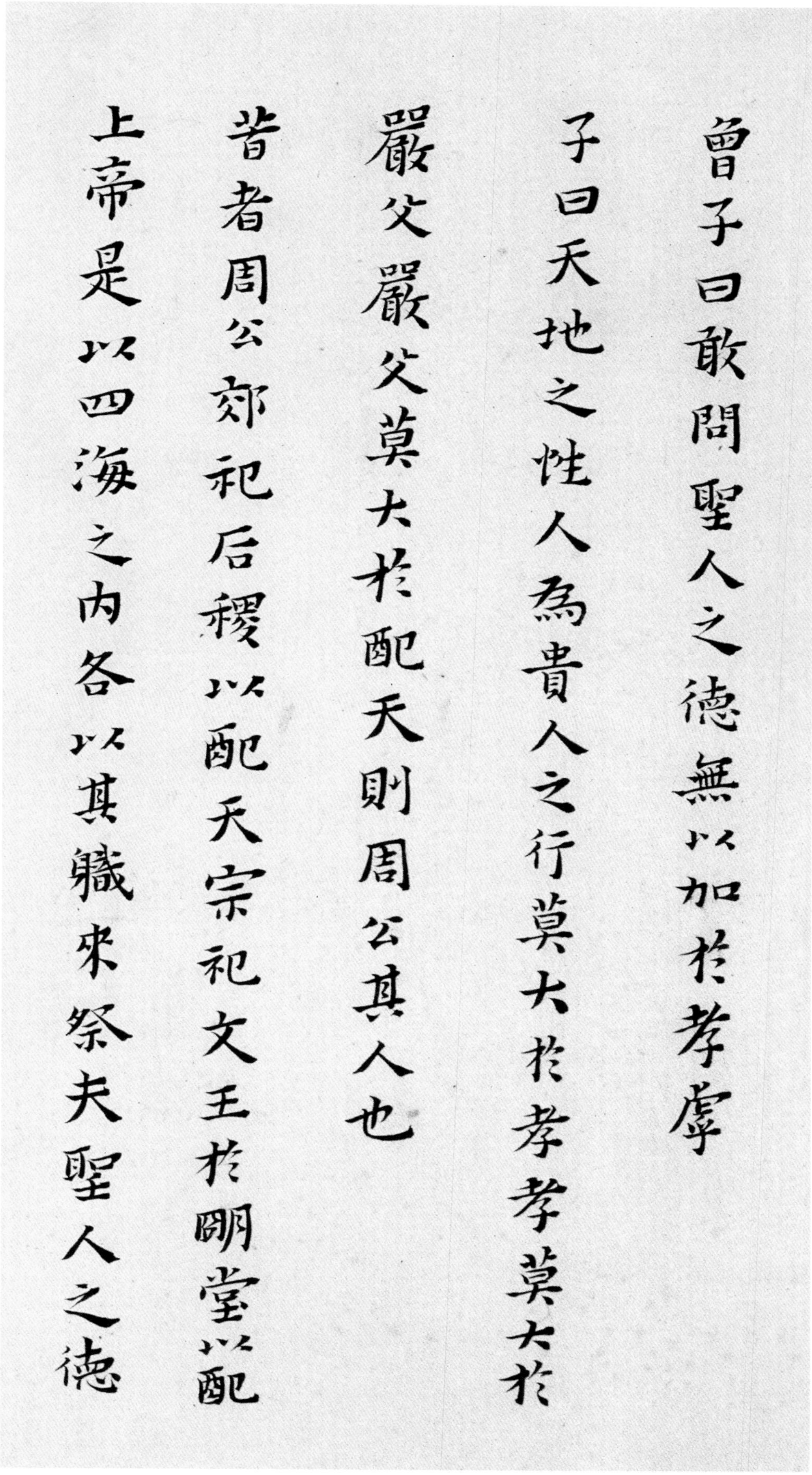
曾子曰敢問聖人之德無以加於孝虖
子曰天地之性人爲貴人之行莫大於孝孝莫大於
嚴父嚴父莫大於配天則周公其人也
昔者周公郊祀后稷以配天宗祀文王於明堂以配
上帝是以四海之内各以其職來祭夫聖人之德

配天：周代禮制，每年冬至要在郊外祭天，並附祭父祖先輩，就叫作以父配天之禮。配：指祭祀時附祭的對象，稱爲『配祀』或『配享』。

周公其人也：指以父配天之禮，由周公而始。周公，姓姬，名旦，他是文王之子，武王之弟，成王之叔。

郊祀：古代帝王每年冬至時在國都郊外建圜丘祭祀天帝。

后稷：名棄，相傳爲周人始祖。

宗祀：即聚宗族而祭。宗，宗族。

故親生之膝下：此説子女對父母的親情在幼年時期即自然天成。

日嚴：日益尊敬。

因嚴以教敬：這是説聖人以自然天性中的尊父之心爲憑依，加以教育培養，使之升華爲理性的『敬』。

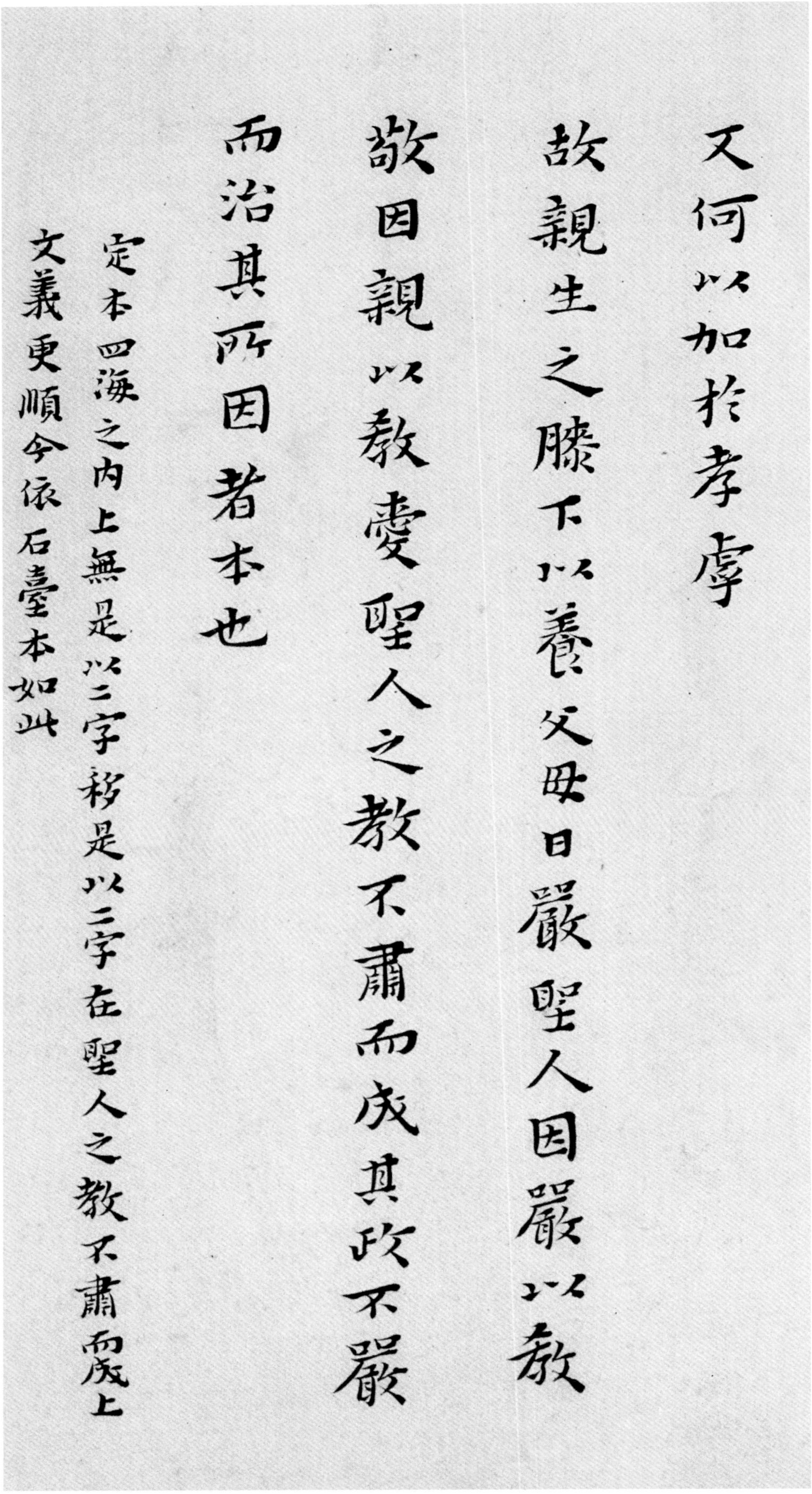

又何以加於孝
故親生之膝下以養父母日嚴聖人因嚴以教
敬因親以教愛聖人之教不肅而成其政不嚴
而治其所因者本也
定本四海之内上無是以二字移是以二字在聖人之教不肅而成上
文義更順今依石臺本如此

又何以加於孝？／故親生之膝下，以養父母日嚴。聖人因嚴以教／敬，因親以教愛。聖人之教，不肅而成，其政不嚴／而治，其所因者本也。／（定本『四海之内』上無『是以』二字，移『是以』二字在『聖人之教，不肅而成』上，／文義更順。今依石臺本如此。）／

父子之道，天性也，君臣之義也。父母生之，續莫大／焉。君親臨之，厚莫重焉。／故不愛其親而愛他人者，謂之悖德；不敬其親／而敬他人者，謂之悖禮。以順則逆，民無則焉。不／在於善，而皆在於凶德。雖得之，君子不貴也。／

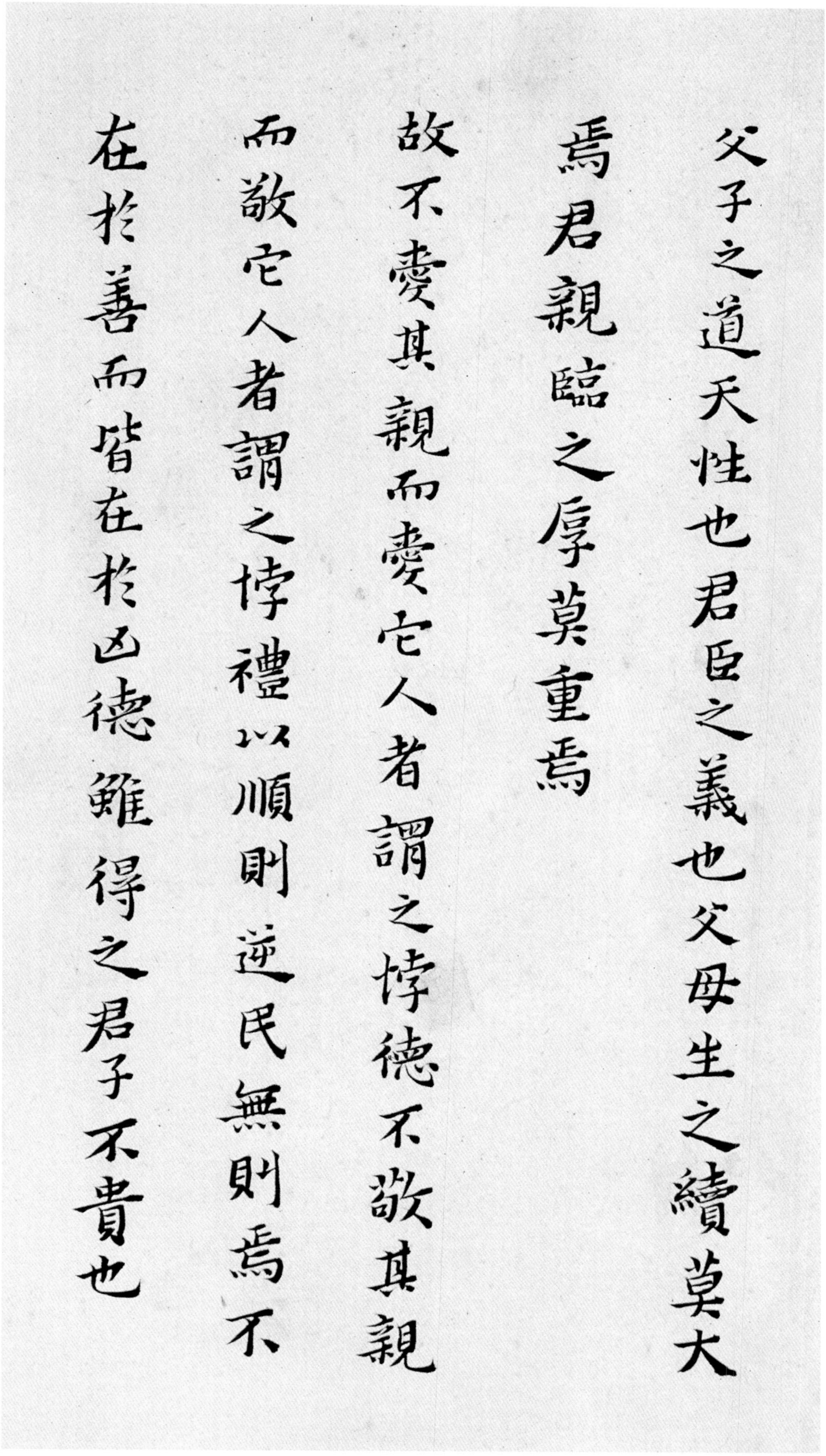
父子之道天性也君臣之義也父母生之續莫大
焉君親臨之厚莫重焉
故不愛其親而愛它人者謂之悖德不敬其親
而敬它人者謂之悖禮以順則逆民無則焉不
在於善而皆在於凶德雖得之君子不貴也

續：指子孫相承。

悖德：違背道德。悖：違背，違反。

以順則逆：是説如果順着「悖德」和「悖禮」的行爲來治理人民，就會把一切都弄顛倒。

民無則焉：人民無所效法。

不貴：鄙視，厭惡。

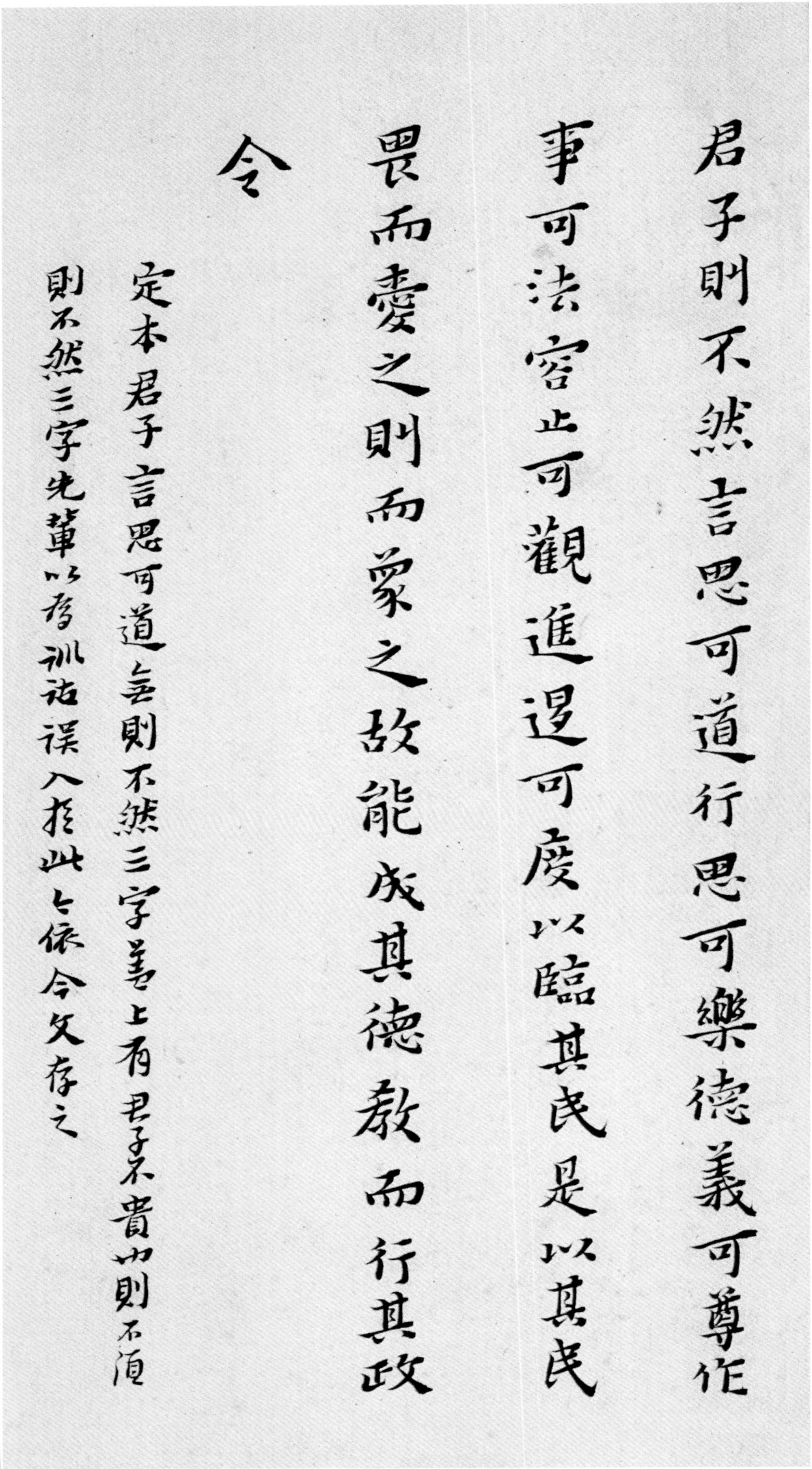
君子則不然言思可道行思可樂德義可尊作事可法容止可觀進退可度以臨其民是以其民畏而愛之則而象之故能成其德教而行其政令

定本君子言思可道無則不然三字蓋上有君子不貴也則不須則不然三字先輩以爲訓詁誤入於此今依今文存之

君子則不然，言思可道，行思可樂，德義可尊，作／事可法，容止可觀，進退可度，以臨其民。是以其民／畏而愛之，則而象之。故能成其德教，而行其政／令。／（定本『君子言思可道』無『則不然』三字，蓋上有『君子不貴也』。『則不須』／、『則不然』三字，先輩以爲訓詁，誤入於此。今依今文存之。）／

《詩》云：「淑人君子，其儀不忒。」』／紀孝行章第十。／子曰：『孝子之事親也，居則致其敬，養則致其／樂，病則致其憂，喪則致其哀，祭則致其嚴。五／者備矣，然後能事親。／

淑人君子，其儀不忒：語出《詩經·曹風·鳲鳩》。淑：美好，善良。儀：儀表，儀容。忒：差錯。

居：日常起居。致：盡。孔傳：『謂虔恭朝夕，盡其懽愛。』

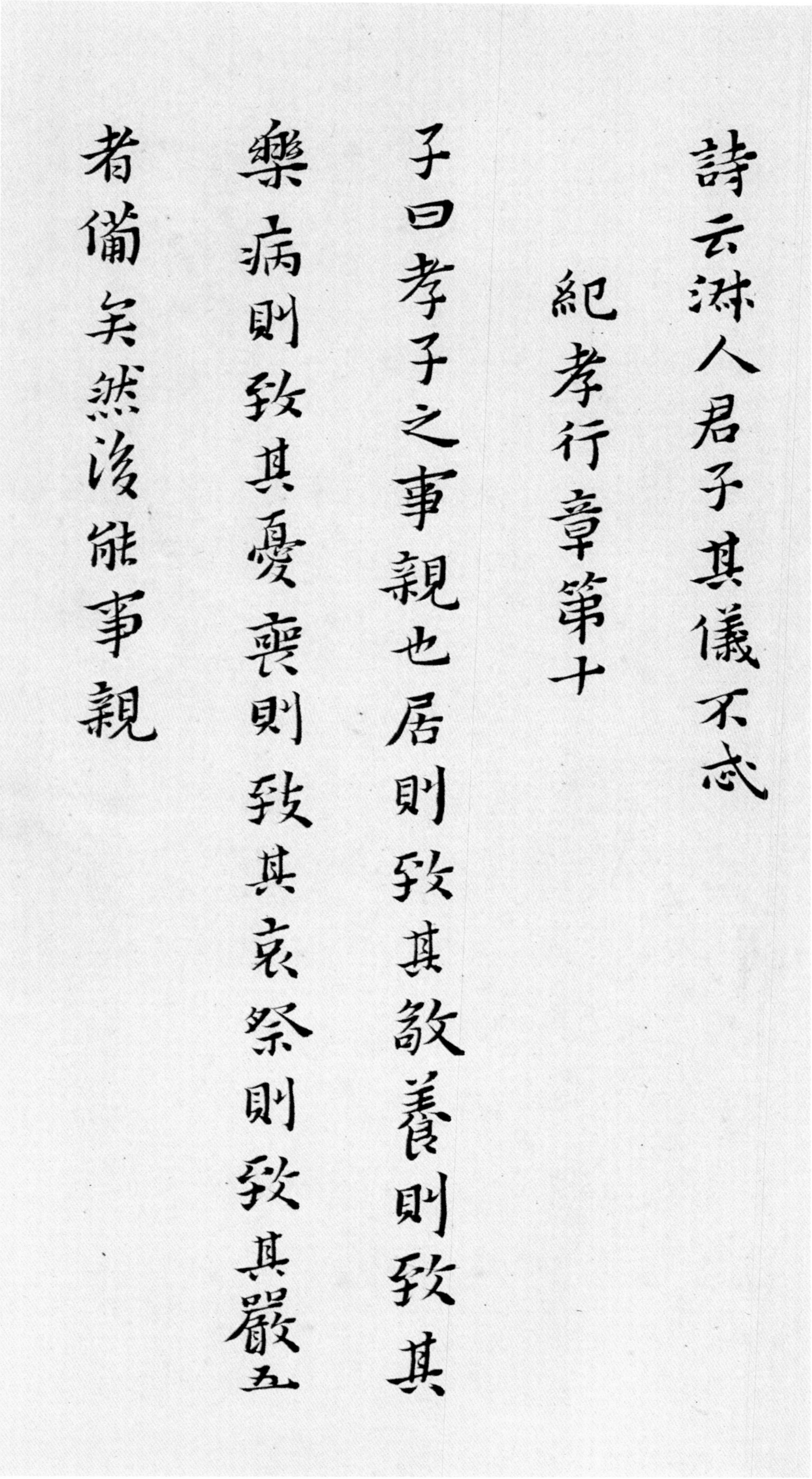
詩云淑人君子其儀不忒
紀孝行章第十
子曰孝子之事親也居則致其敬養則致其
樂病則致其憂喪則致其哀祭則致其嚴五
者備矣然後能事親

在醜：指處於低賤地位的人。醜：衆，卑賤之人。

三牲：祭祀用的牛、羊、豕，古稱『太牢』，是最高等級的宴會或祭祀的標準。此句說不能去除以上三種行爲，即使每天以太牢奉養父母，仍屬不孝。

五刑：五種輕重不等的刑法。具體說法不一。《尚書·舜典》：『五刑有服。』孔傳：『五刑：墨、劓、剕、宮、大辟。』《周禮·秋官·司刑》：『掌五刑之灋，以麗萬民之罪，墨罪五百，劓罪五百，宮罪五百，刖罪五百，殺罪五百。』五刑之屬三千：指應當處以五種刑法的罪有无數條。

要君：以暴力要脅威脅君長。無上：目無君長。

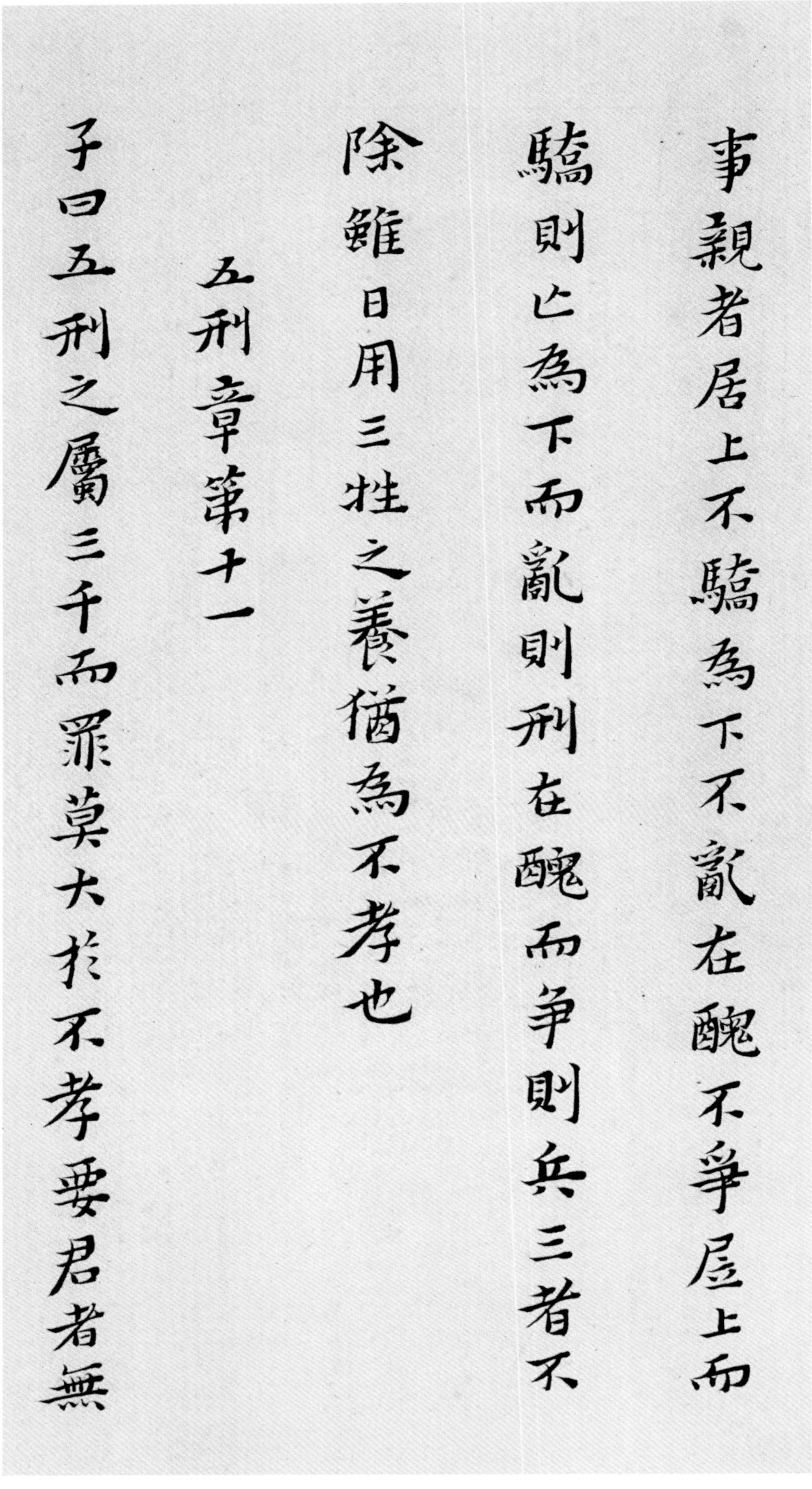
事親者居上不驕爲下不亂在醜不爭居上而
驕則亡爲下而亂則刑在醜而爭則兵三者不
除雖日用三牲之養猶爲不孝也
五刑章第十一
子曰五刑之屬三千而罪莫大於不孝要君者無

事親者，居上不驕，爲下不亂，在醜不爭。居上而/驕則亡，爲下而亂則刑，在醜而爭則兵。三者不/除，雖日用三牲之養，猶爲不孝也。』/五刑章第十一。/子曰：『五刑之屬三千，而罪莫大於不孝。要君者無/

上，非聖人者無法，非孝者無親。此大亂之道也。』／廣要道章第十二。／子曰：『教民親愛，莫善於孝；教民禮順，莫善於／悌；移風易俗，莫善於樂；安上治民，莫善於禮。／禮者，敬而已矣。故敬其父，則子悦；敬其兄，則弟／

非：責難反對。

悌：古以兄弟之間的親善友愛稱爲『悌』。

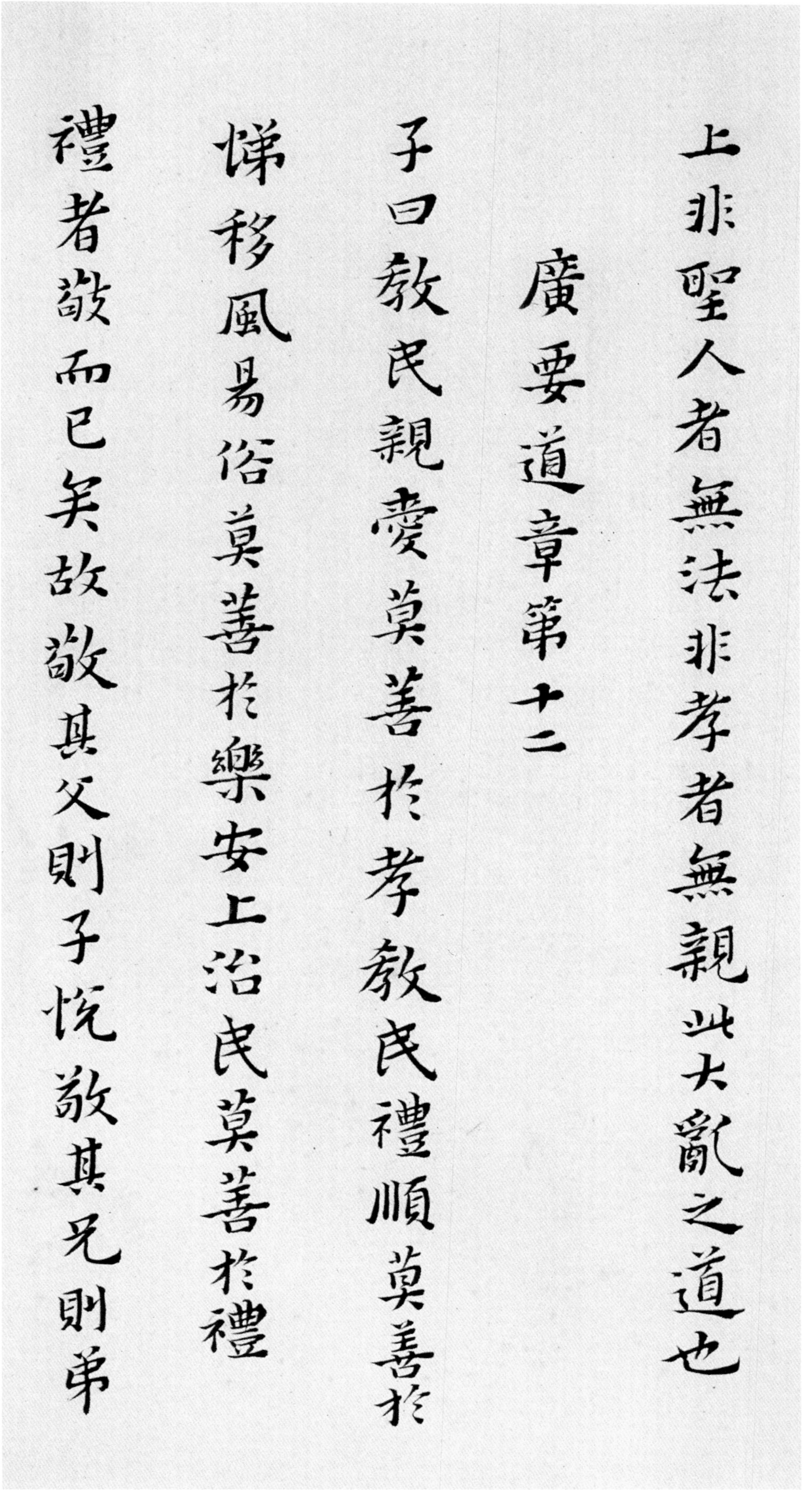
上非聖人者無法非孝者無親此大亂之道也
廣要道章第十二
子曰教民親愛莫善於孝教民禮順莫善於
悌移風易俗莫善於樂安上治民莫善於禮
禮者敬而已矣故敬其父則子悦敬其兄則弟

家至而日見之：到家，天天見面。指當面教人行孝。

悦敬其君則臣悦敬一人而千萬人悦所敬者寡
而悦者衆此之謂要道也

廣至德章第十三

子曰君子之敎以孝也非家至而日見之也敎以
孝所以敬天下之爲人父者也敎以弟所以敬天

悦；敬其君，則臣悦；敬一人，而千萬人悦。所敬者寡，／而悦者衆，此之謂要道也。』／廣至德章第十三。／子曰：『君子之教以孝也，非家至而日見之也。教以／孝，所以敬天下之爲人父者也。教以弟，所以敬天／

下之爲人兄者也。教以臣，所以敬天下之爲人君者／也。／《詩》云：「豈弟君子，民之父母。」非至德，其孰能順民如／此其大者虖！」（定本『君子之教也』，無『以孝』二字，『非至德其孰能順民如此者虖』無『其大』二字。又本『君子之教以敬也』。）／廣揚名章第十四。／

下之爲人兄者也教以臣所以敬天下之爲人君者
也
詩云豈弟君子民之父母非至德其孰能順民如
此其大者虖 定本君子之教也無以孝二字非至德其孰能順民如此者虖 無其大二字 又本君子之教以敬也
廣揚名章第十四

豈弟：同『愷悌』。和樂安詳，平易近人。愷悌君子，民之父母：語出《詩經·大雅·泂酌》。據説原詩是西周召康公爲勸勉成王而作。

忠可移於君：這是儒家學者『移孝作忠』的理論。孔傳：『能孝於親，則必能忠於君矣。求忠臣必於孝子之門也。』

若夫：句首語氣詞，用於引起下文。

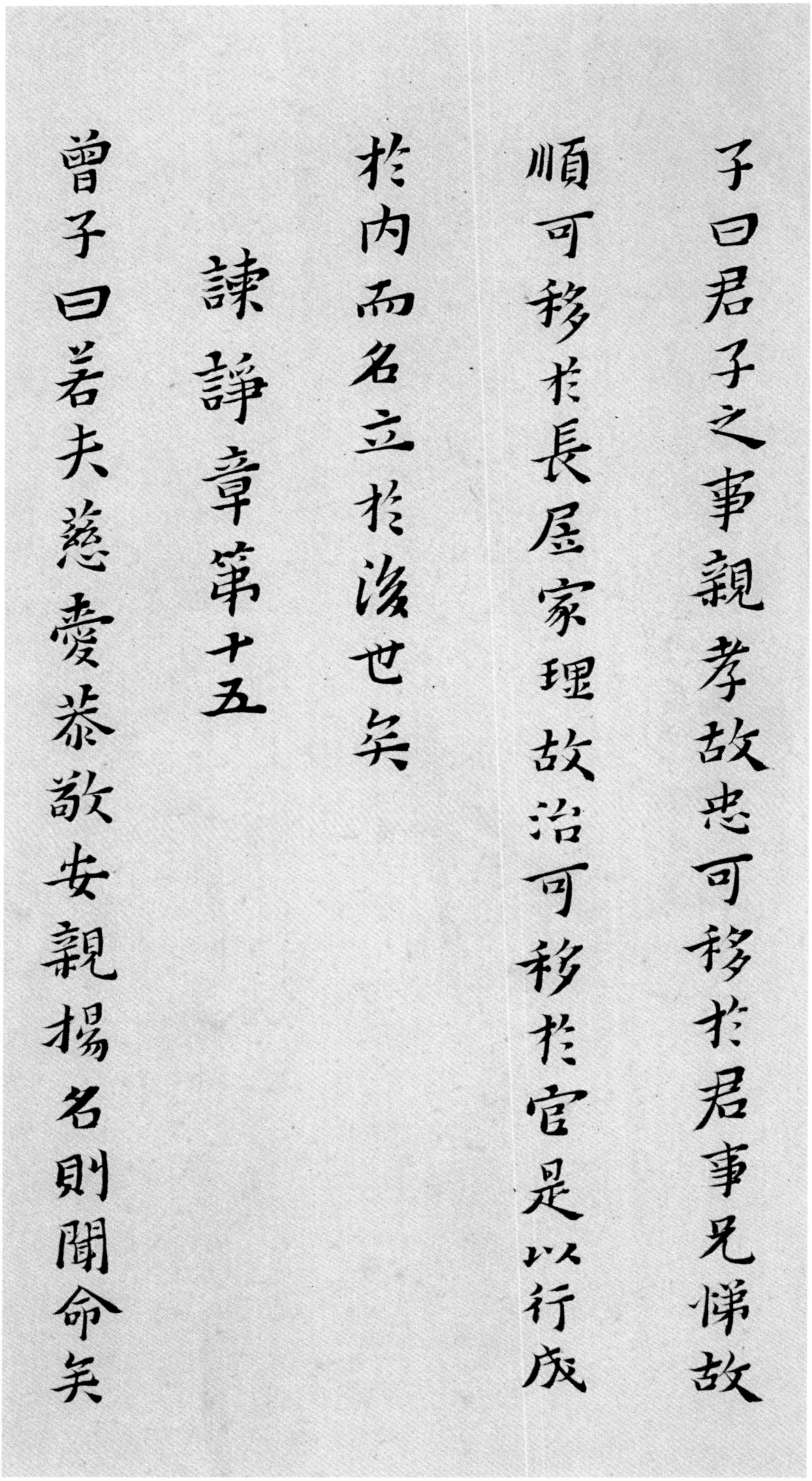
子曰君子之事親孝故忠可移於君事兄悌故
順可移於長居家理故治可移於官是以行成
於內而名立於後世矣
諫諍章第十五
曾子曰若夫慈愛恭敬安親揚名則聞命矣

子曰：『君子之事親孝，故忠可移於君。事兄悌，故／順可移於長。居家理，故治可移於官。是以行成／於內，而名立於後世矣。』／諫諍章第十五。／曾子曰：『若夫慈愛、恭敬、安親、揚名，則聞命矣。／

敢問子從父之令，可謂孝虖？』／子曰：『是何言與！是何言與！昔者天子有爭臣／七人，雖無道，不失其天下；諸侯有爭臣五人，雖／無道，不失其國；大夫有爭臣三人，雖無道，不失／其家；士有爭友，則身不離於令名；父有諍子，則／

與：通『歟』。句末語氣詞，表感嘆或疑問語氣。

天子有爭臣七人：古人以天子的輔政大臣三公、四輔合爲七人。『三公』是指太師、太傅、太保。『四輔』是前曰疑、後曰丞、左曰輔、右曰弼。

爭：通『諍』。諍臣：敢於直言規勸的臣僚。

諸侯有爭臣五人：諸侯的輔政大臣五人，或說是三卿及内史、外史，合爲五人。

大夫有爭臣三人：大夫的家臣，主要有三人。孔傳說，三人是家相（管家）、室老（家臣之長）、側室（家臣）。

令名：好名聲。令：美善。

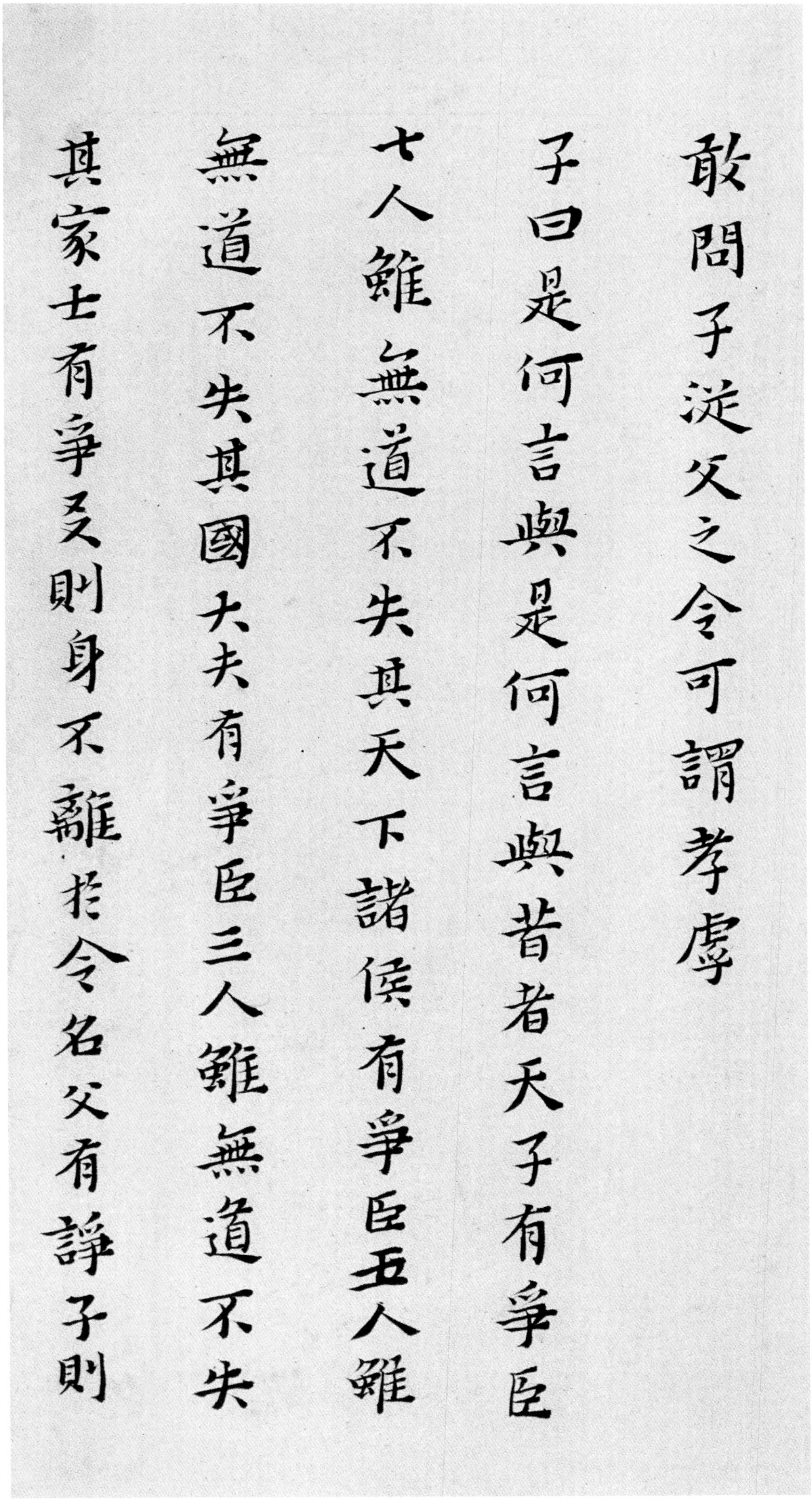
敢問子從父之令可謂孝虖
子曰是何言與是何言與昔者天子有爭臣
七人雖無道不失其天下諸侯有爭臣五人雖
無道不失其國大夫有爭臣三人雖無道不失
其家士有爭友則身不離於令名父有諍子則

身不陷於不義故當不義則子不可以不爭於
父臣不可以不爭於君故當不義則爭之從父
之令又焉得爲孝虖

感應章第十六

子曰昔者明王事父孝故事天明事母孝故

身不陷於不義。故當不義則子不可以不争於／父，臣不可以不争於君；故當不義，則争之。從父／之令，又焉得爲孝虖！』／感應章第十六。／子曰：『昔者明王事父孝，故事天明；事母孝，故／

事地察；長幼順，故上下治。天地明察，神明彰／矣。（定本下有『宗廟致敬，鬼神著矣』。／又一本移『天地明察』在『鬼神著矣』之下。）／故雖天子，必有尊也，言有父／也；必有先也，言有／兄也。宗廟致敬，不忘親也；脩身慎行，恐辱先／也。宗廟致敬，鬼神著矣。／

事地察長幼順故上下治天地明察神明彰
矣
定本下有宗廟致敬鬼神著矣
又一本移天地明察在鬼神著矣之下
故雖天子必有尊也言有父也必有先也言有
兄也宗廟致敬不忘親也脩身慎行恐辱先
也宗廟致敬鬼神著矣

孝悌之至通于神明光于四海無所不通
詩云自西自東自南自北無思不服
事君章第十七
子曰君子之事上也進思盡忠退思補過將順
其美匡救其惡故上下能相親也

孝悌之至，通於神明，光於四海，無所不通。／《詩》云：「自西自東，自南自北，無思不服。」』／事君章第十七。／子曰：『君子之事上也，進思盡忠，退思補過，將順／其美，匡救其惡，故上下能相親也。／

自西自東，自南自北，無思不服：語出《詩經·大雅·文王有聲》。思：句中助詞，無意義。

進：指上朝。

退：指下朝。

將順其美：順從君王正確的詔令，成就其善政。將：執行，實行。

《詩》云：「心虖愛矣，遐不謂矣，中心藏之，何日忘之。」』
喪親章第十八。
子曰：『孝子之喪親也，哭不偯，禮無容，言不文，服美不安，聞樂不樂，食旨不甘，此哀慼之情也。三日而食，教民無以死傷生，毀不滅性，此聖人之

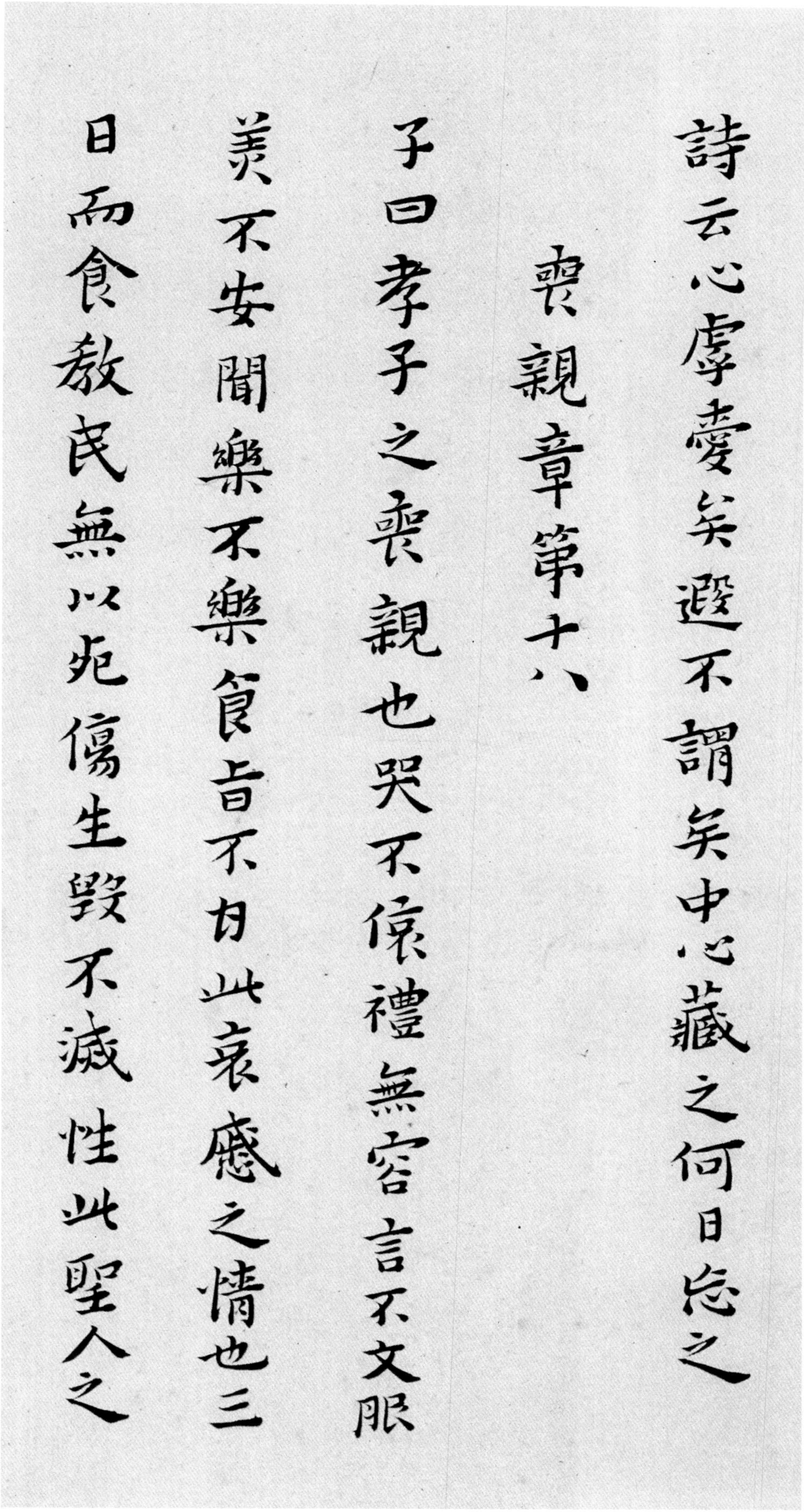
詩云心虖愛矣遐不謂矣中心藏之何日忘之
喪親章第十八
子曰孝子之喪親也哭不偯禮無容言不文服美不安聞樂不樂食旨不甘此哀慼之情也三日而食教民無以死傷生毀不滅性此聖人之

『心虖』四句：語出《詩經·小雅·隰桑》。原詩相傳是人民懷念有德行的君子而作。

不偯：是指哭的時候，哭聲隨氣息用盡而自然停止，不能有拖腔拖調，使得尾聲曲折、綿長。偯：指哭的尾聲迤邐委曲。

禮無容：這是說喪親時孝子的禮儀舉止不講究儀容姿態。

言不文：這是說喪親時，孝子說話不講究詞藻華美，文飾其辭。文：指文辭的修飾和文采。

服美不安：孝子喪親，穿着華美的衣裳會於心不安。

食旨不甘：即使有美味的食物，也不會覺得好吃。

三日而食：古代喪禮規定，孝子三天之內不進食，三天之後可以進粥食，以免悲哀過度，長久不吃飯而傷害身體，如此也不合乎孝道。

毀不滅性：居喪哀毀，但不應因此喪生。唐玄宗注：『不食三日，哀毀過情，滅性而死，皆虧孝道。故聖人制禮施教，不令至於殞滅。』

喪不過三年：孝子爲父母之死服喪三年。

棺槨：古代棺木有兩重，裏面的一層叫棺，外面的一層叫槨。

簠簋：祭奠時盛放物品的器具。喪禮規定，從父母去世，到出殯入葬，死者的身旁都要供奉食物，用簠、簋、鼎、籩、豆等器具盛放。

擗踴：捶胸頓足。擗：捶胸。踴：頓足。孔傳：『撫心曰擗，跳曰踴，所以泄哀也。男踴女擗，哀以送之。』

送：指出殯、送葬。

卜其宅兆：占卜下葬之地。

安措：安置。

生民之本盡矣：這是説能够做好上述這些事情，就算是盡到了根本的責任，完全了孝道。生民：人民。

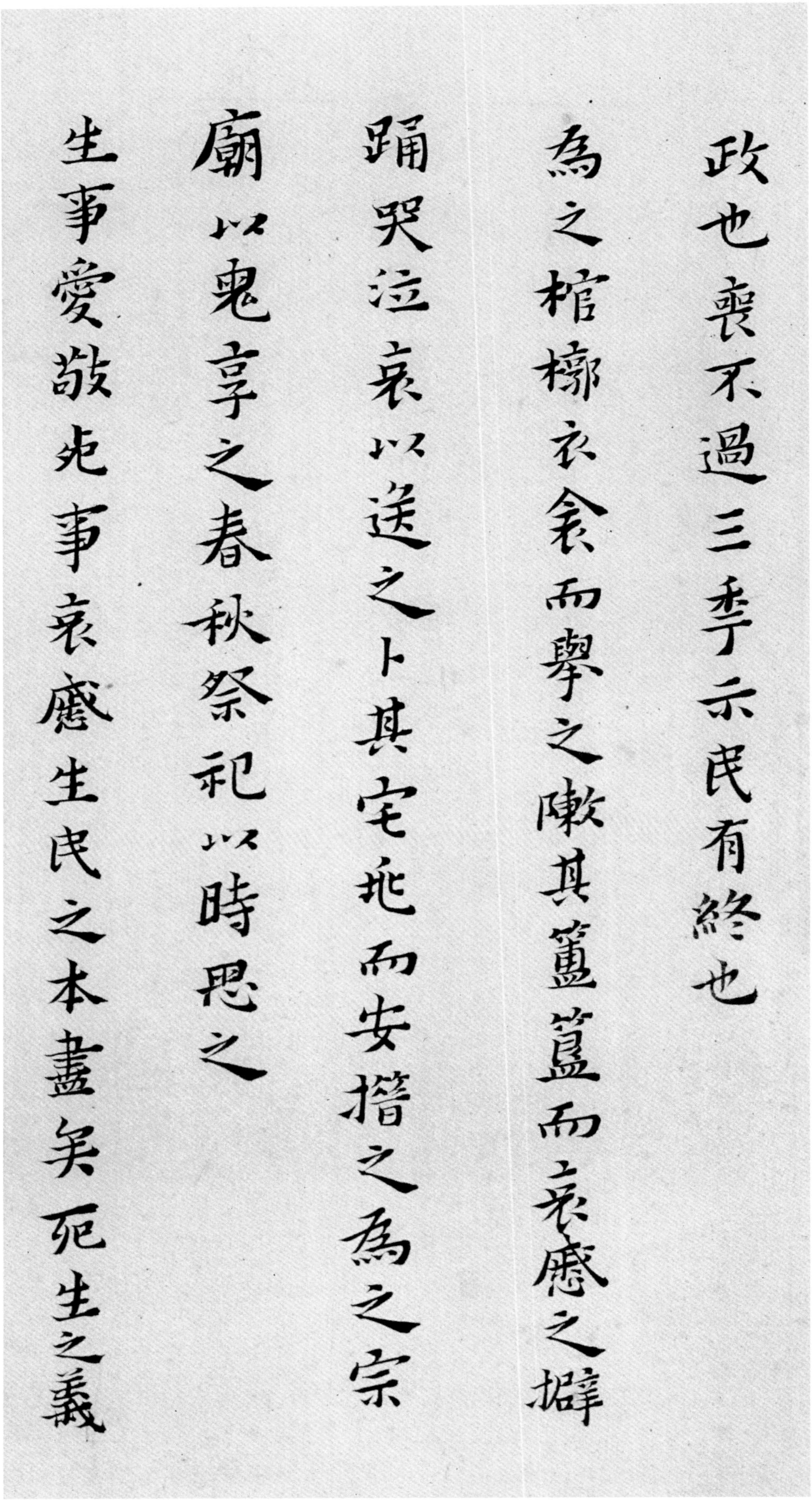
政也喪不過三季示民有終也
爲之棺槨衣衾而舉之陳其簠簋而哀慼之擗
踊哭泣哀以送之卜其宅兆而安措之爲之宗
廟以鬼享之春秋祭祀以時思之
生事愛敬死事哀慼生民之本盡矣死生之義

政也。喪不過三年，示民有終也。／爲之棺槨衣衾而舉之，陳其簠簋而哀慼之；擗／踴哭泣，哀以送之；卜其宅兆，而安措之；爲之宗／廟，以鬼享之；春秋祭祀，以時思之。／生事愛敬，死事哀慼，生民之本盡矣，死生之義／

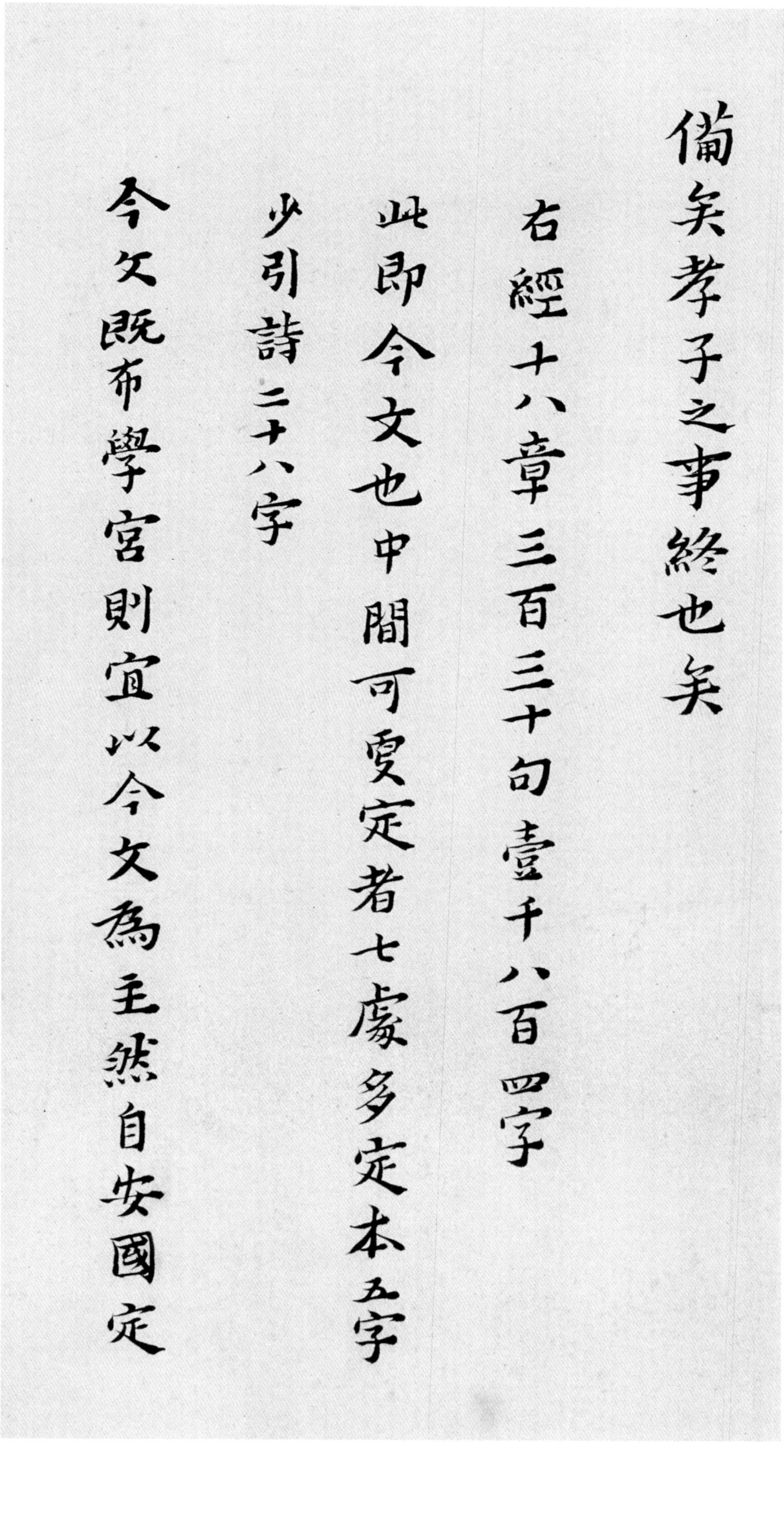
備矣孝子之事終也矣
右經十八章三百三十句壹千八百四字
此即今文也中間叓定者七處多定本五字
少引詩二十八字
今文既布學宮則宜以今文為主然自安國定

備矣，孝子之事終也矣。』／右經十八章，三百三十句，壹千八百四字，／此即今文也。中間更定者七處，多定本五字，／少引《詩》二十八字。／今文既布學宮，則宜以今文爲主，然自安國定／

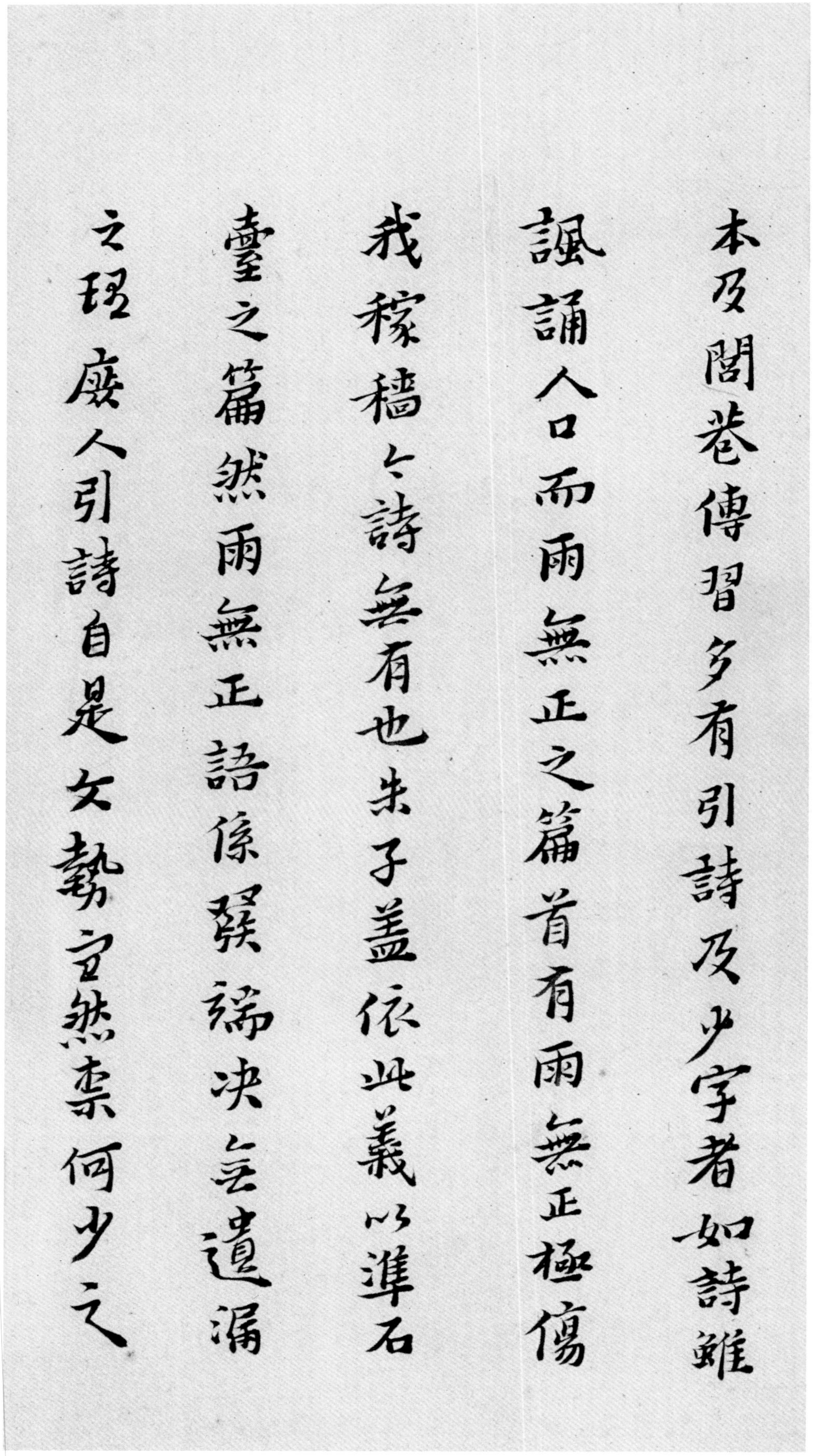
本及閭巷傳習多有引詩及少字者如詩雖
謳誦人口而雨無正之篇首有雨無正極傷
我稼穡〻詩無有也朱子盖依此義以準石
臺之篇然雨無正語係發端決無遺漏
之理庶人引詩自是文勢宜然奈何少之

本及閭巷傳習，多有引《詩》及少字者。如《詩》雖／謳誦人口，而《雨無正》之篇首有『雨無正極，傷／我稼穡』，今《詩》無有也，朱子蓋依此義以準石／臺之篇。然『雨無正』語係發端，決無遺漏／之理，庶人引《詩》自是文勢宜然，奈何少之？／

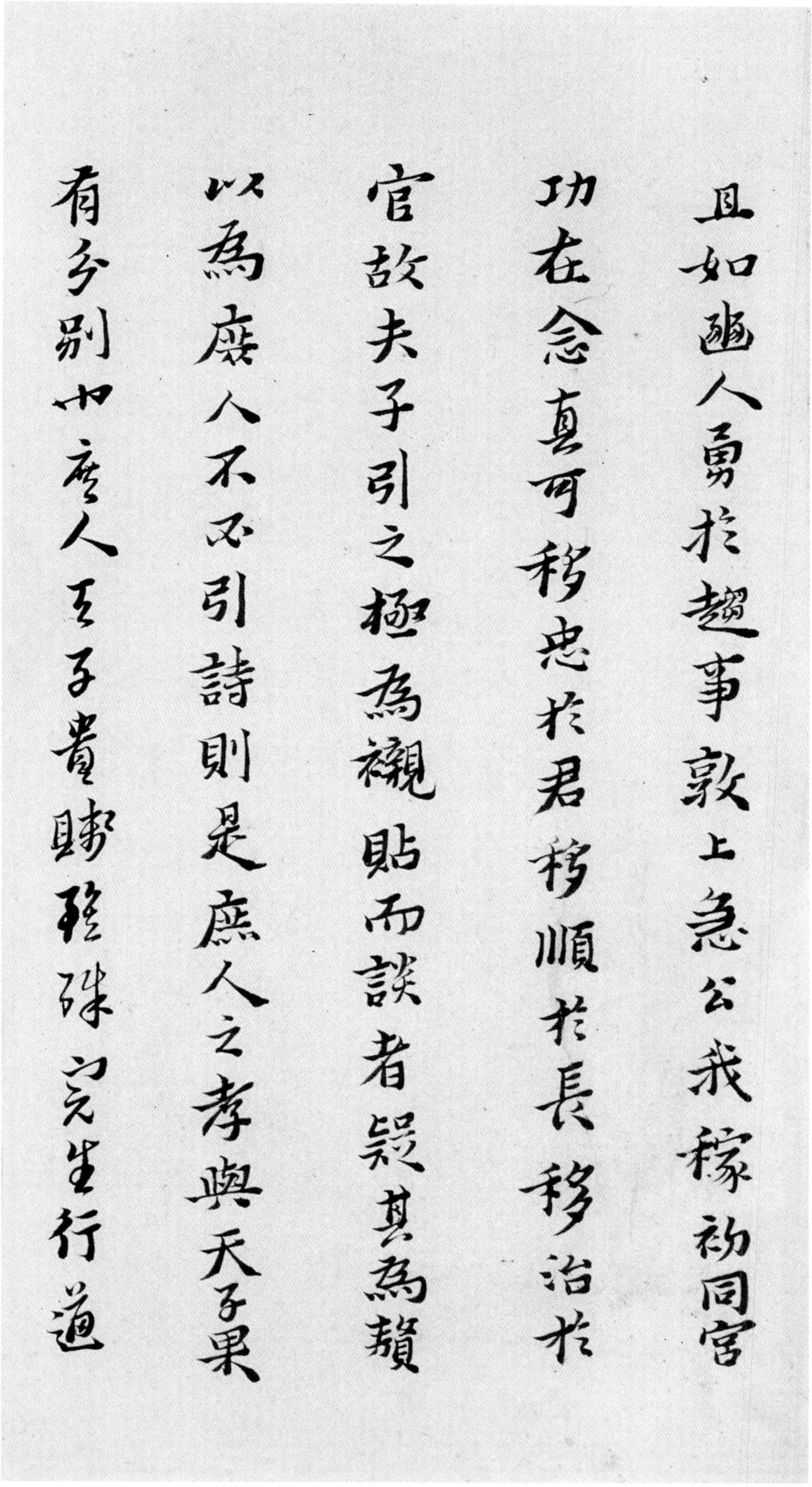

且如豳人勇於趨事，敦上急公，我稼初同，宮〳功在念，真可移忠於君，移順於長，移治於〳官，故夫子引之，極爲襯貼，而談者疑其爲贅，〳以爲庶人不必引《詩》，則是庶人之孝與天子果〳有分别也。庶人、天子，貴賤雖殊，完生行道，〳

孟子堂下：事見《孟子·梁惠王上》。梁惠王坐堂上，見有人牽牛從堂下走過，將殺之以祭鍾。牛恐懼發抖，梁惠王心有不忍，以羊替之。孟子藉此説服齊宣王施行保民的仁政的故事。

同風：道理相同。

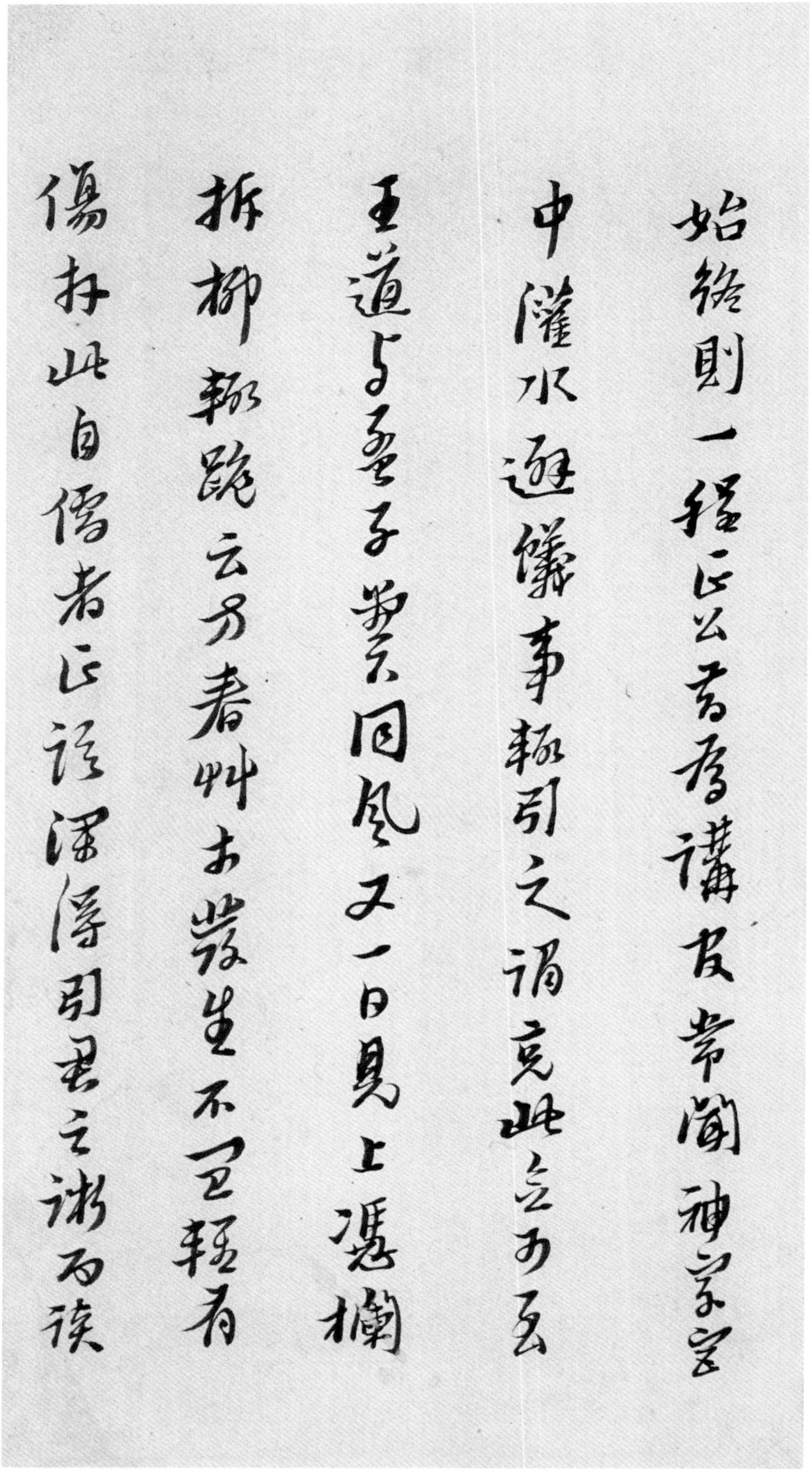

始終則一。程正公昔爲講官，常聞神宗宫／中灌水避蟻事，輒引之，謂克此念，可至／王道，與孟子堂下同風。又一日，見上憑欄／拆（折）柳，輒跪云：『方春草木發生，不宜輕有／傷卉。』此自儒者正語，深得引君之術，而談／

者詆爲迂闊不情。又云神宗聞程頤語，遂／作急擲去柳枝，終此不樂。甚矣，讒人之徧／也！帝王雖卞急，意豈亦自與人不同？何況宋／宗尚是學問中人，何至如此？爲講官者，能以避／蟻、弃柳兩事開導君心，雖引之協和、好生，／

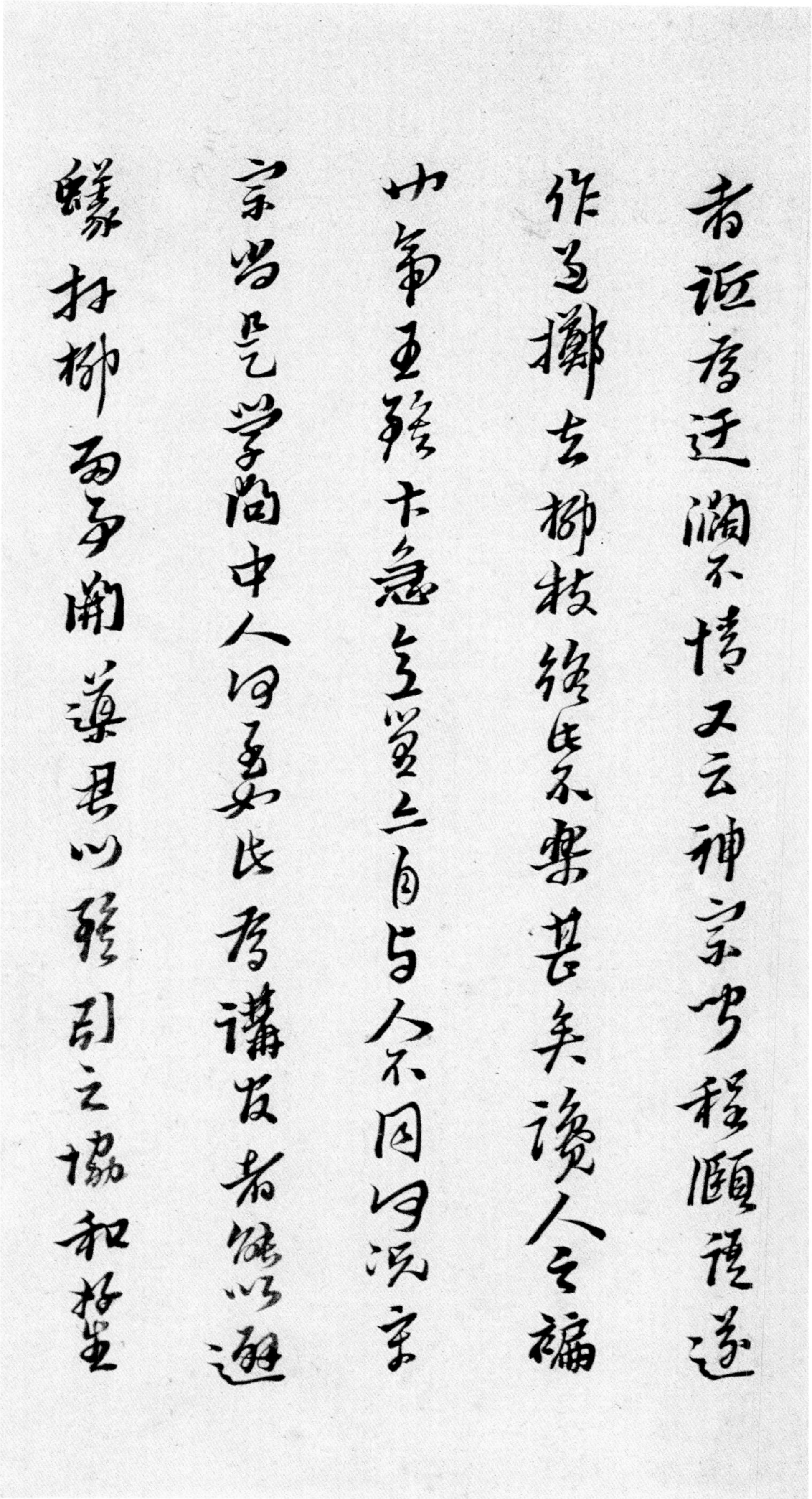
者詆爲迂闊不情又云神宗聞程頤語遂作急擲去柳枝終此不樂甚矣讒人之徧也帝王雖卞急意豈亦自與人不同何況宋宗尚是學問中人何至如此爲講官者能以避蟻弃柳兩事開導君心雖引之協和好生

卞急：急躁。《左傳·定公三年》：「莊公卞急而好潔。」杜預注：「卞，躁疾也。」

風動：謂廣泛回應。《尚書・大禹謨》：『帝曰：俾予從欲以治，四方風動，惟乃之休。』

崇禎辛巳：一六四一年。

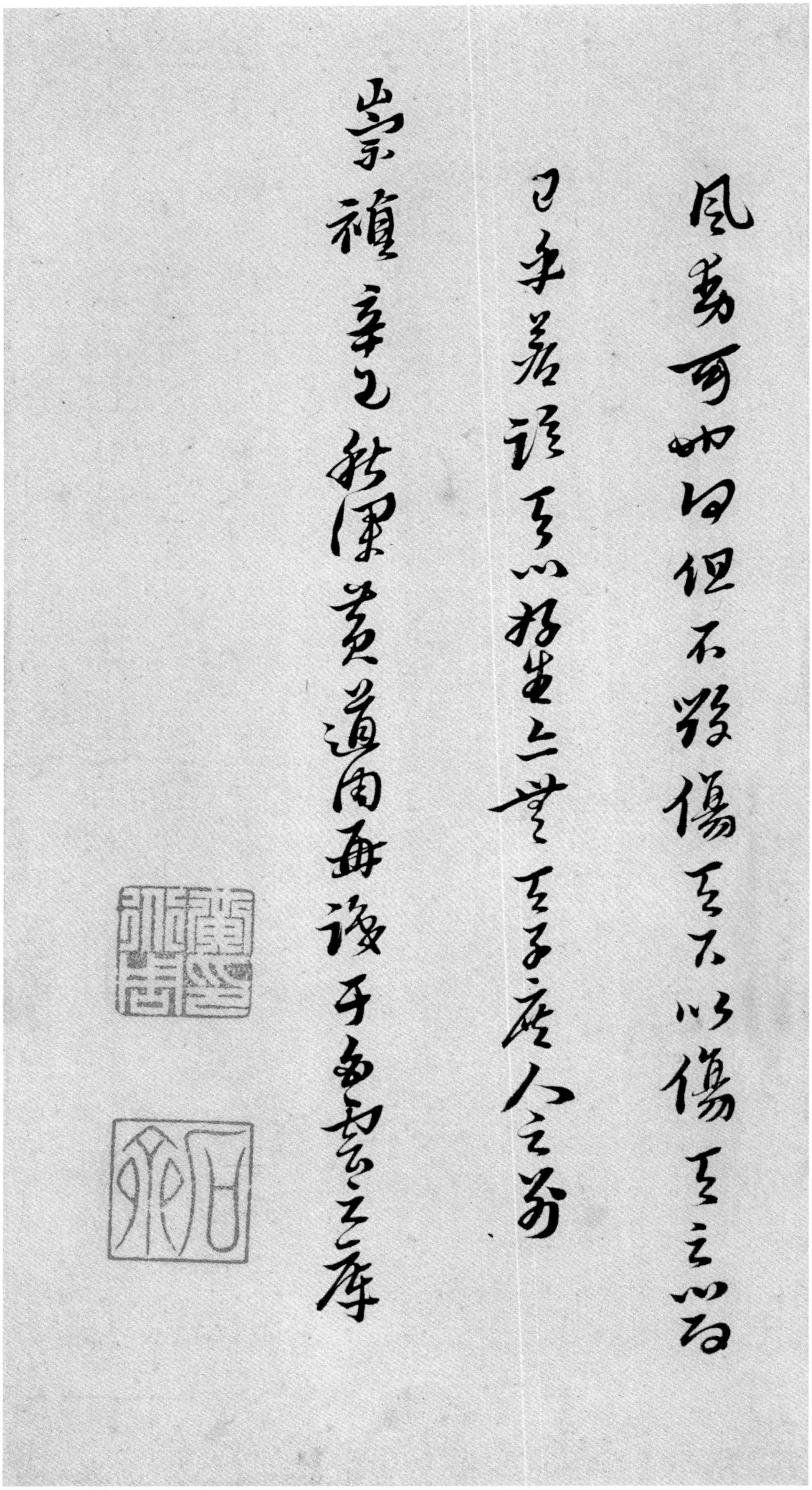

風動可也，何但不毀傷天下以傷天之心而／已乎。若論天心好生，亦無天子、庶人之別。／崇禎辛巳秋深，黃道周再識於白雲之庫。／

手札册

石齋先生小簡真蹟

胡勲裕題籤

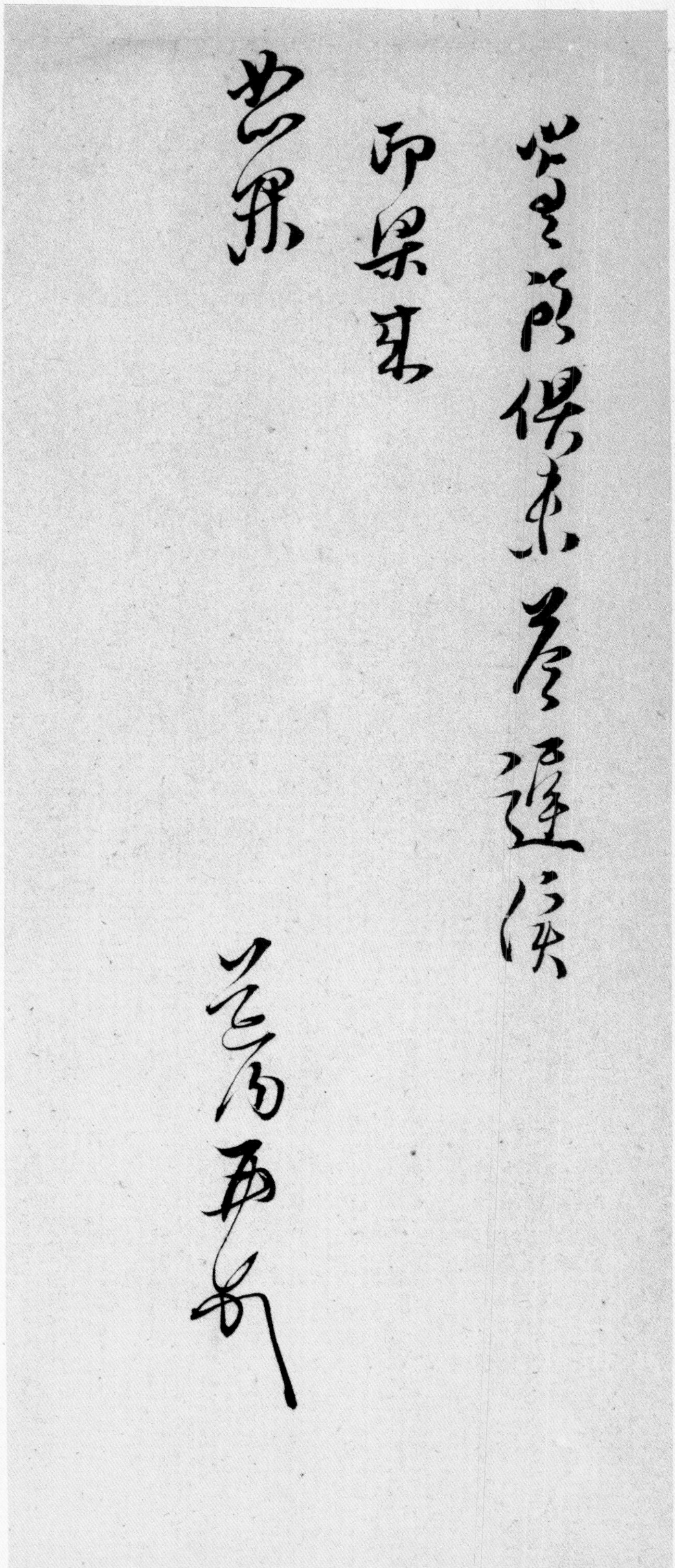

箋頭俱未答　遲候／印粱來　／恕罪。道周再頓首。／

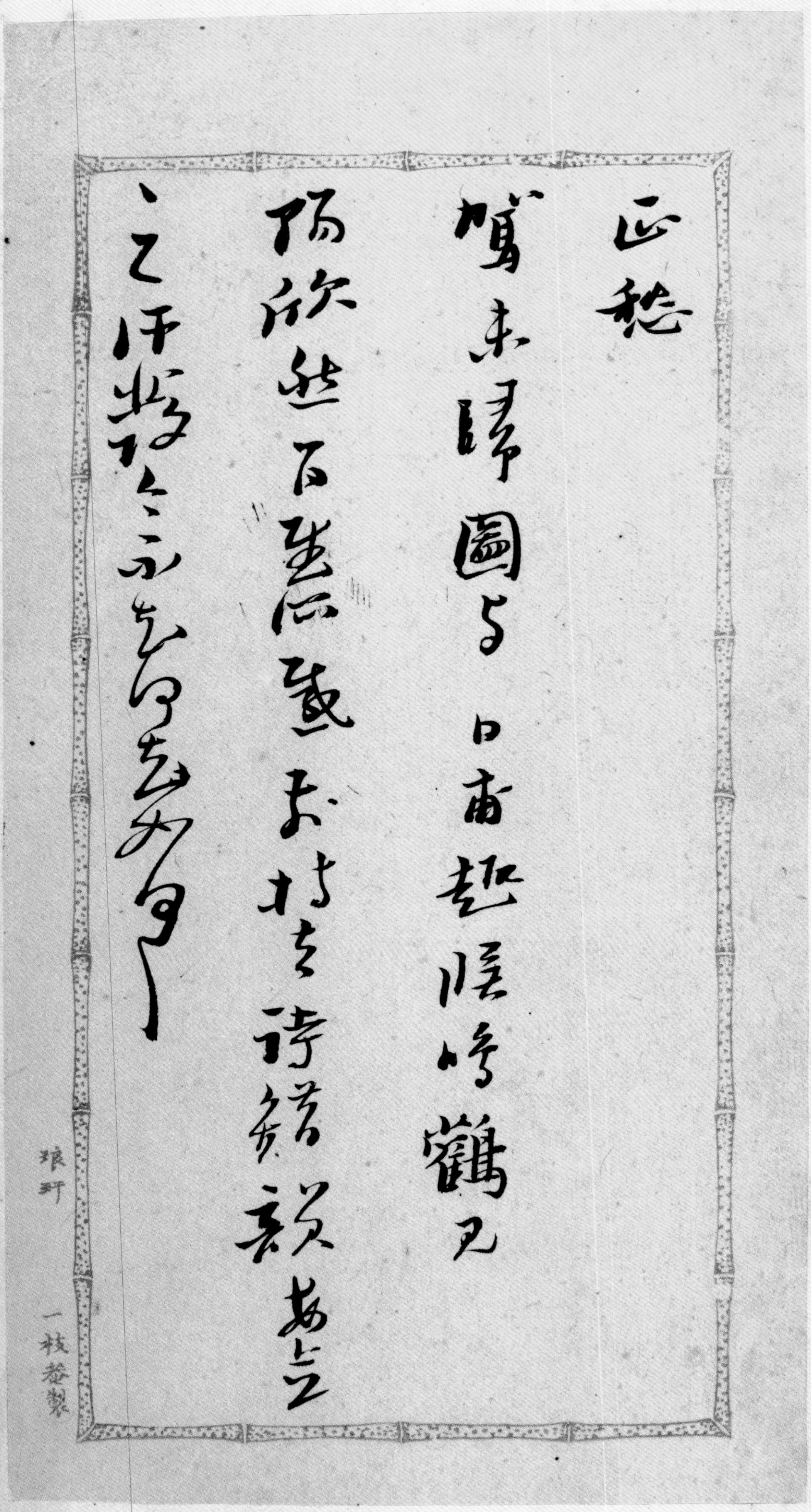

正愁／駕未歸，圖與日甫趣候，鳴鶴見／賜，欣然百慰所感。前持去詩錯韻，每念／之汗發。今不知何知如何。／

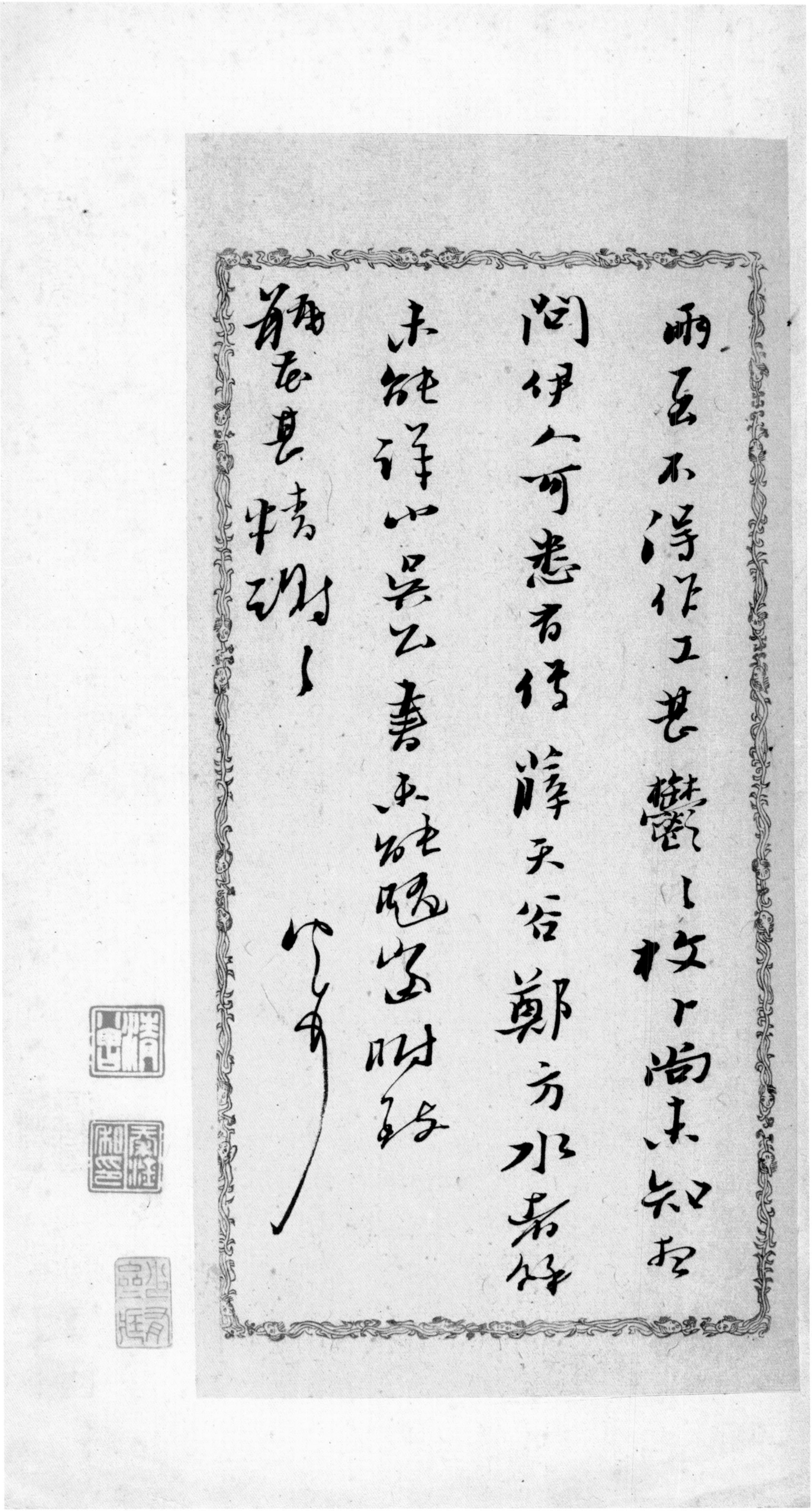

雨至，不得作工，甚鬱鬱。枚卜尚未知，想／問伊人，可悉有便。薛天谷、鄭方水者餘／未能詳也。吳公書未能隨，當附致。／瓶花甚精，謝謝。周頓首。／

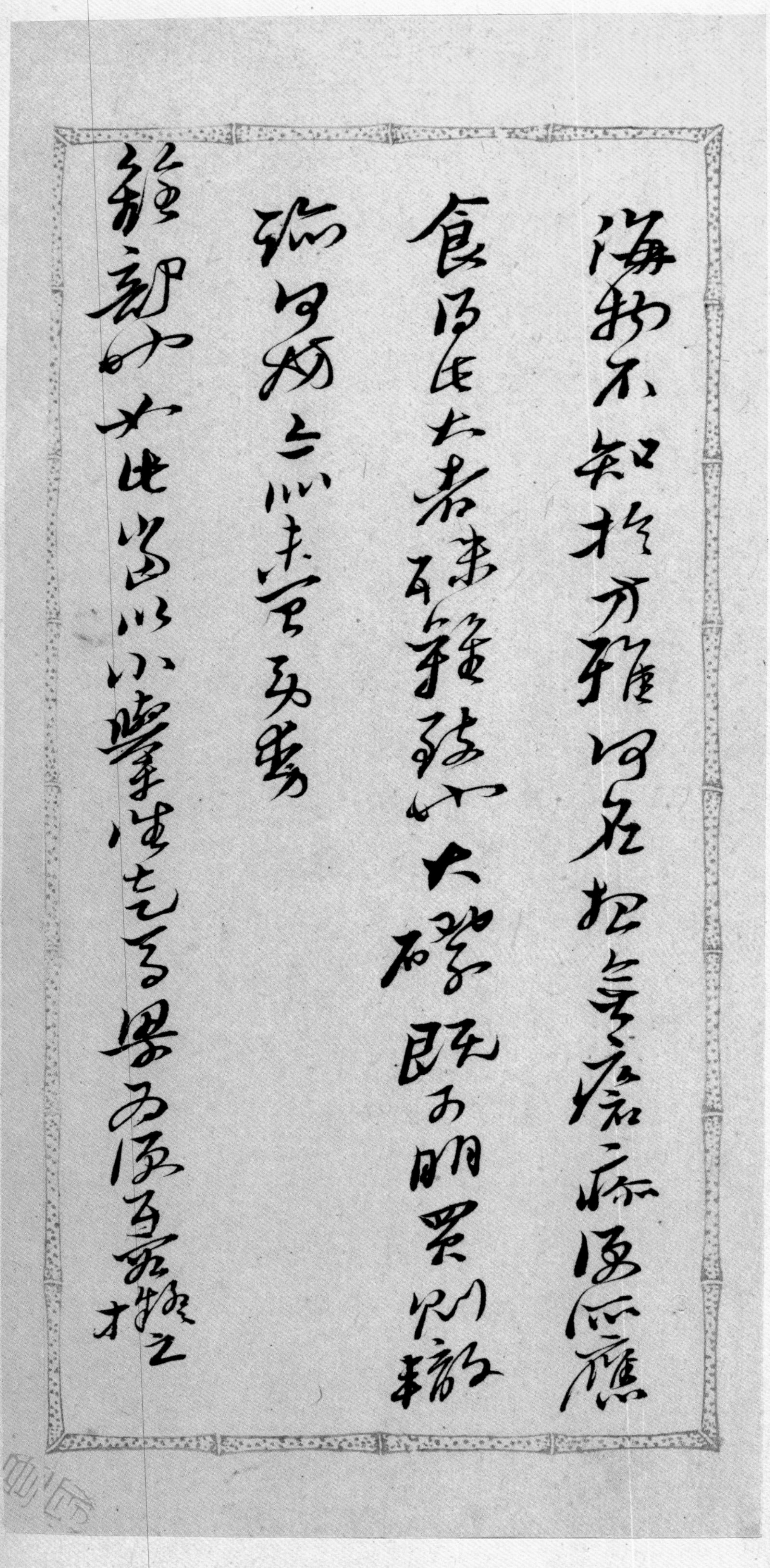

海物不知於方雅可名，想無舊譜，更祈惠之食，尋此大者，未雖致也。大蔡既可明買，則敬之亦可方，下此只買學力之全耶已。口比當人之書生言為笑耳，不足之也。

浙物未達，遂不敢嘗，所識瓜子，留爲春供。諸卷有須，以倩寒山，謝謝。曾屺再書未見，見之，被悞其悞也，遞以……

銓部公懇懃教誨，實所當遵。擬廿四鍼，其原脈示審，何丁山亥向，自洪範諸書云然，須與諸墓同體，又前後肩脈未詳，敬乞復商之。

[illegible]頓首

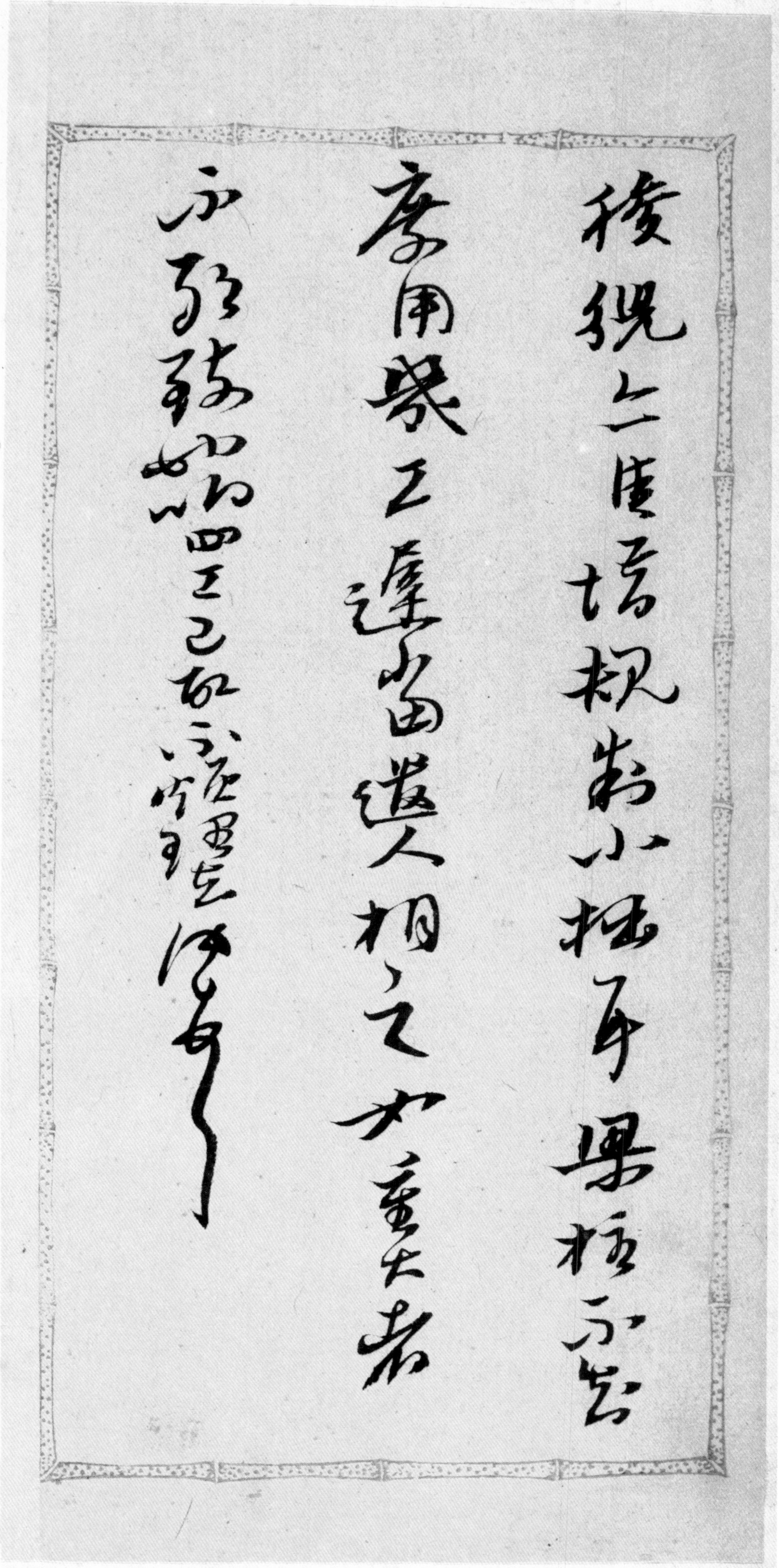

猨狖亦佳，惜規制小拙耳。梁柱不知／度用幾工，遲當遣人相之，如重大者／不敢致也。□四工已故，不煩理在。周頓首。／

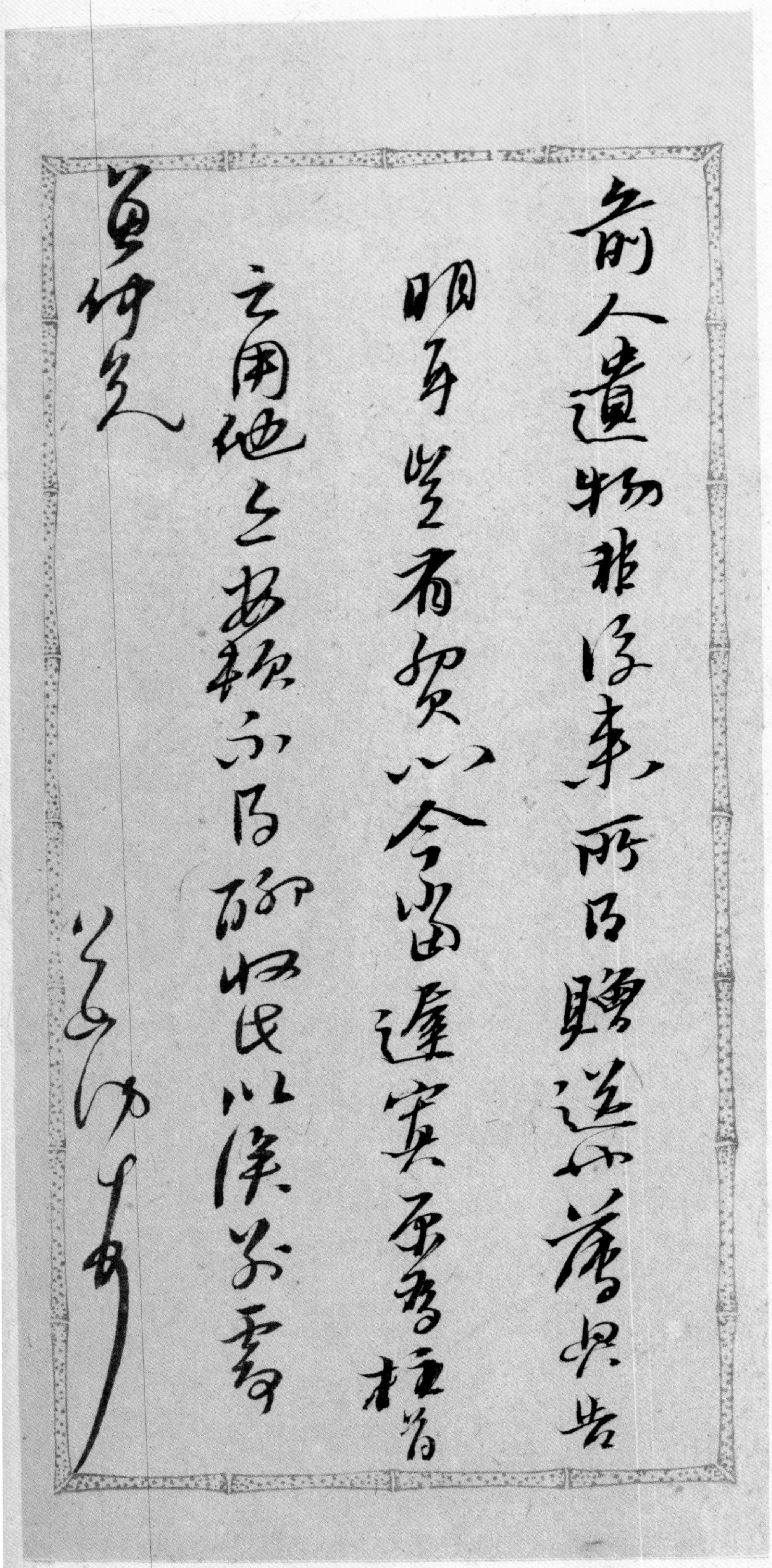

前人遺物非後來所得贈送也，薄具告／明耳，豈有貿心？今當遲寘，原爲柱首／之用，他亦安頓不得，聊收此，以俟別需。魚仲兄。道周頓首。／

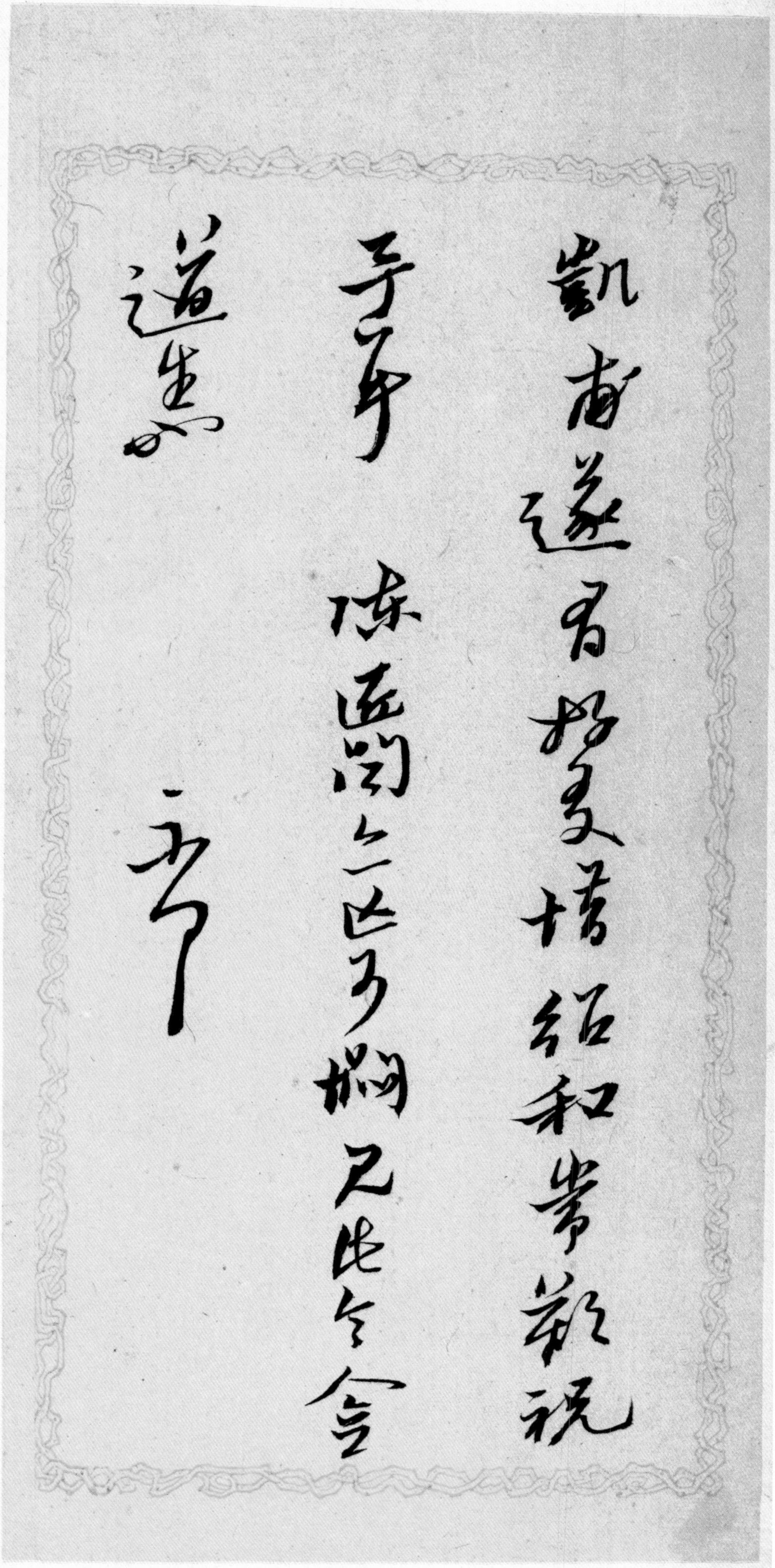

凱甫遂有好友，惜紹和常歎祝／予耳。陳匠聞亦亡，可悶。見此令人念／道生也。不具。／

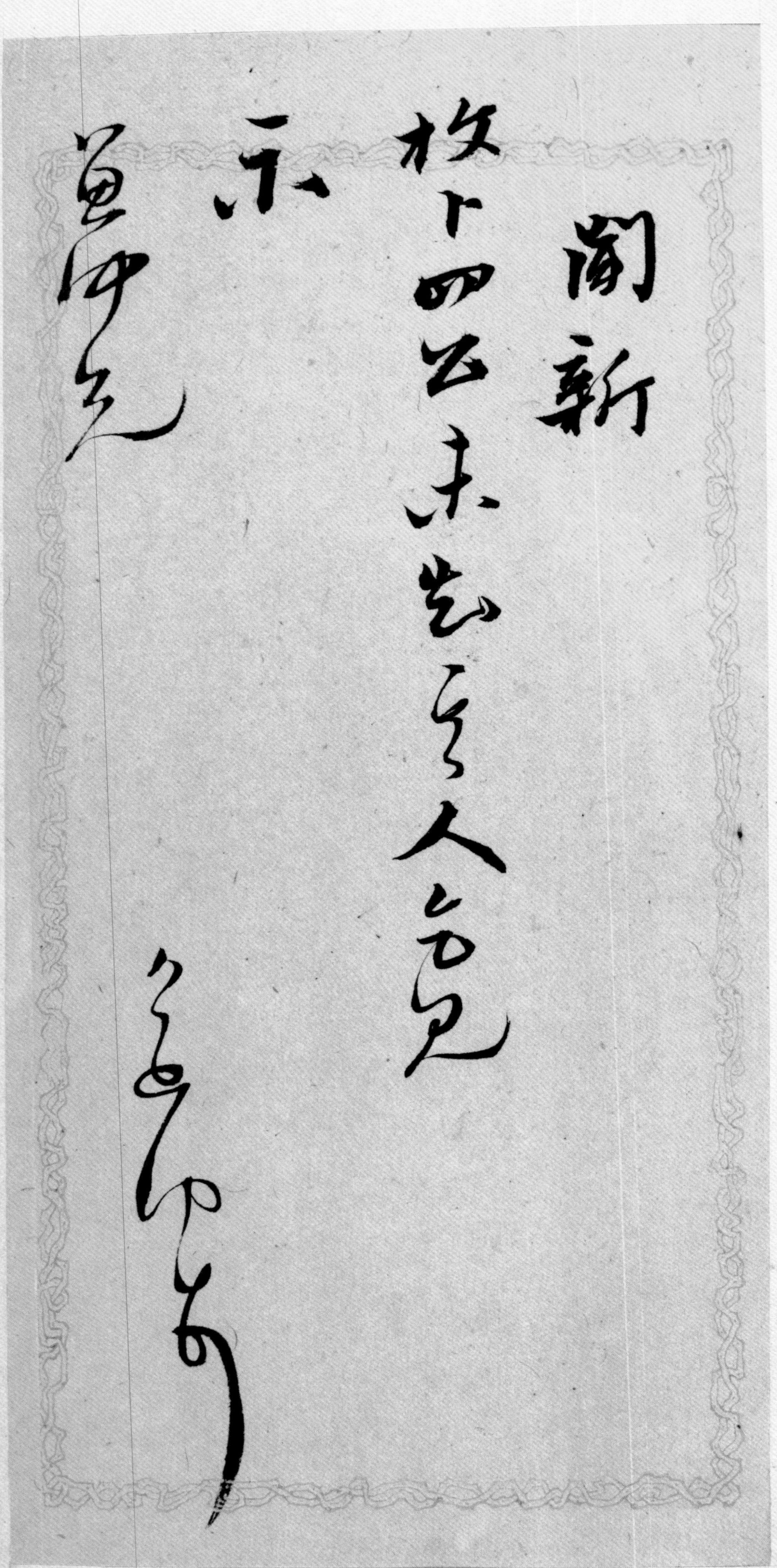

聞新／枚卜四公，未知其人，乞見／示。魚仲兄。道周頓首。／

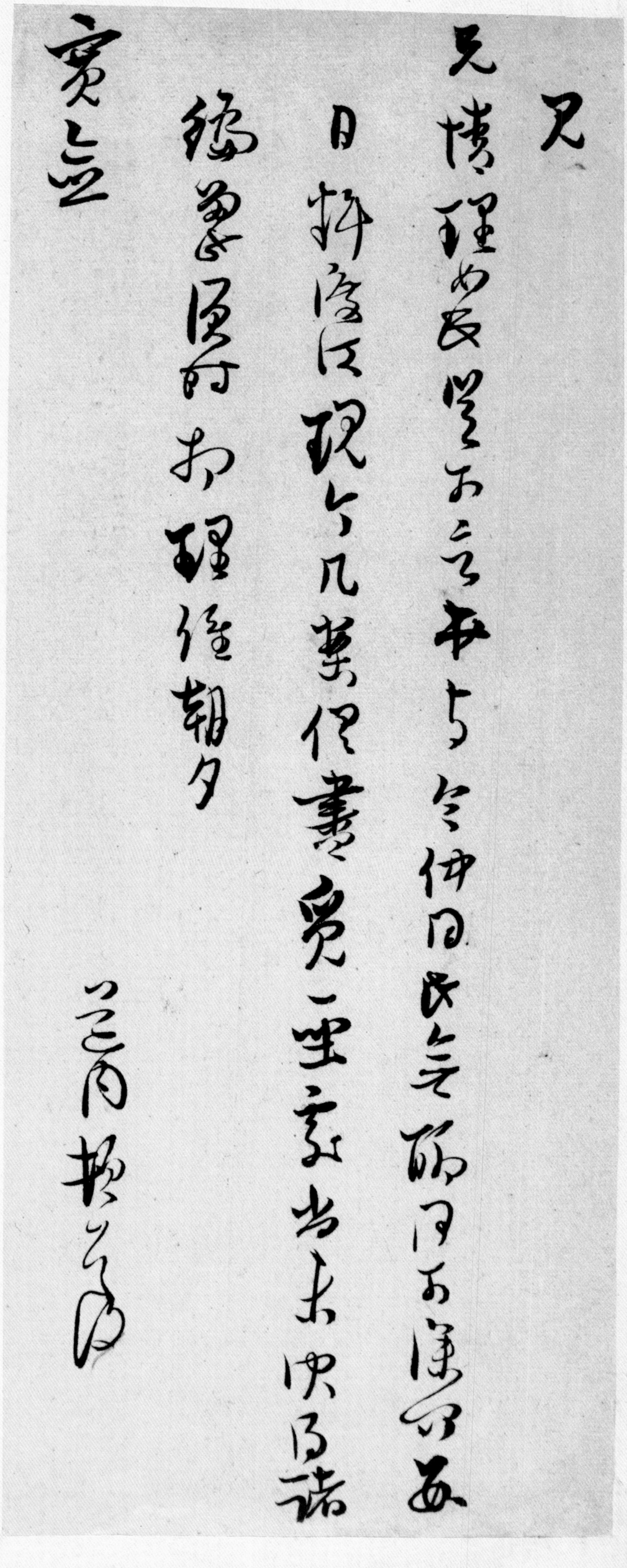

見／兄情理如此，豈可言。弟與令仲同此無聊，何可深問。數／日料渡江，現今几案俱盡，覓一坐處，尚未决。得諸／編留此，須時相理。維朝夕寬念。道周頓首復。／

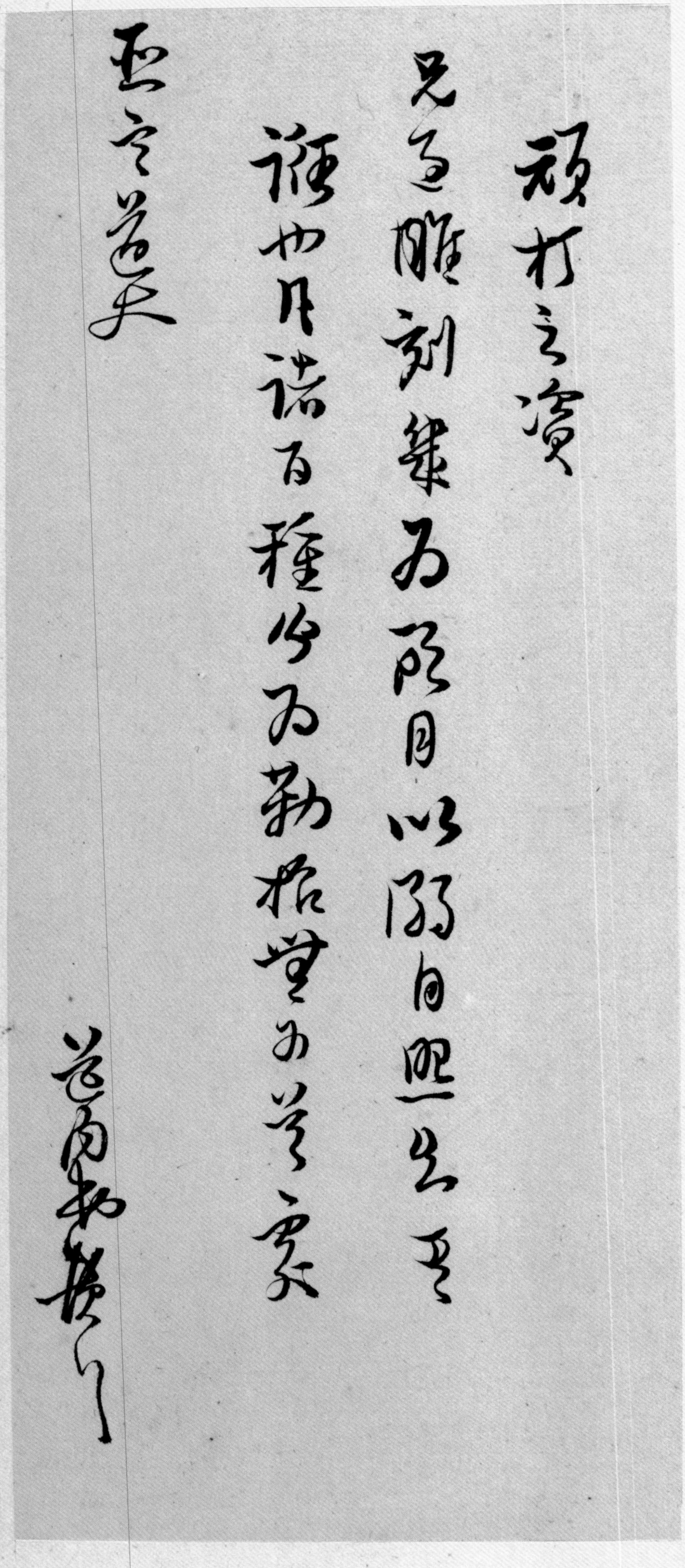

頑朽之資，/兄過雕刻，幾爲頭目，以溺自照，知其/誑也。凡諸百種，皆爲勒招，無可是處。/臣言道丈。道周弟頓首。/

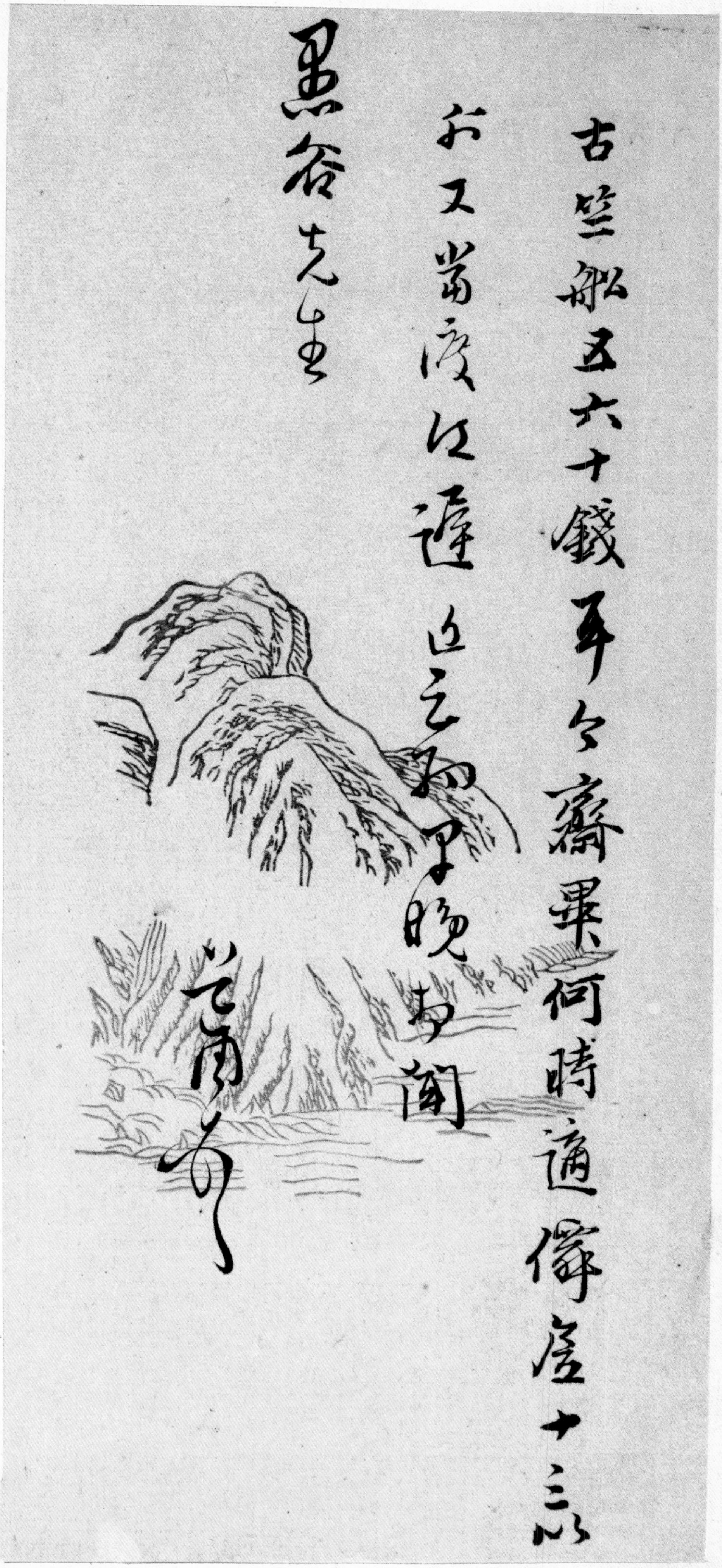

古笠㆓船工五六十錢耳。今齋畢，何時適仙居？十三／以外又當渡江，遲近云約，早晚相聞。／愚谷先生。道周頓首。／

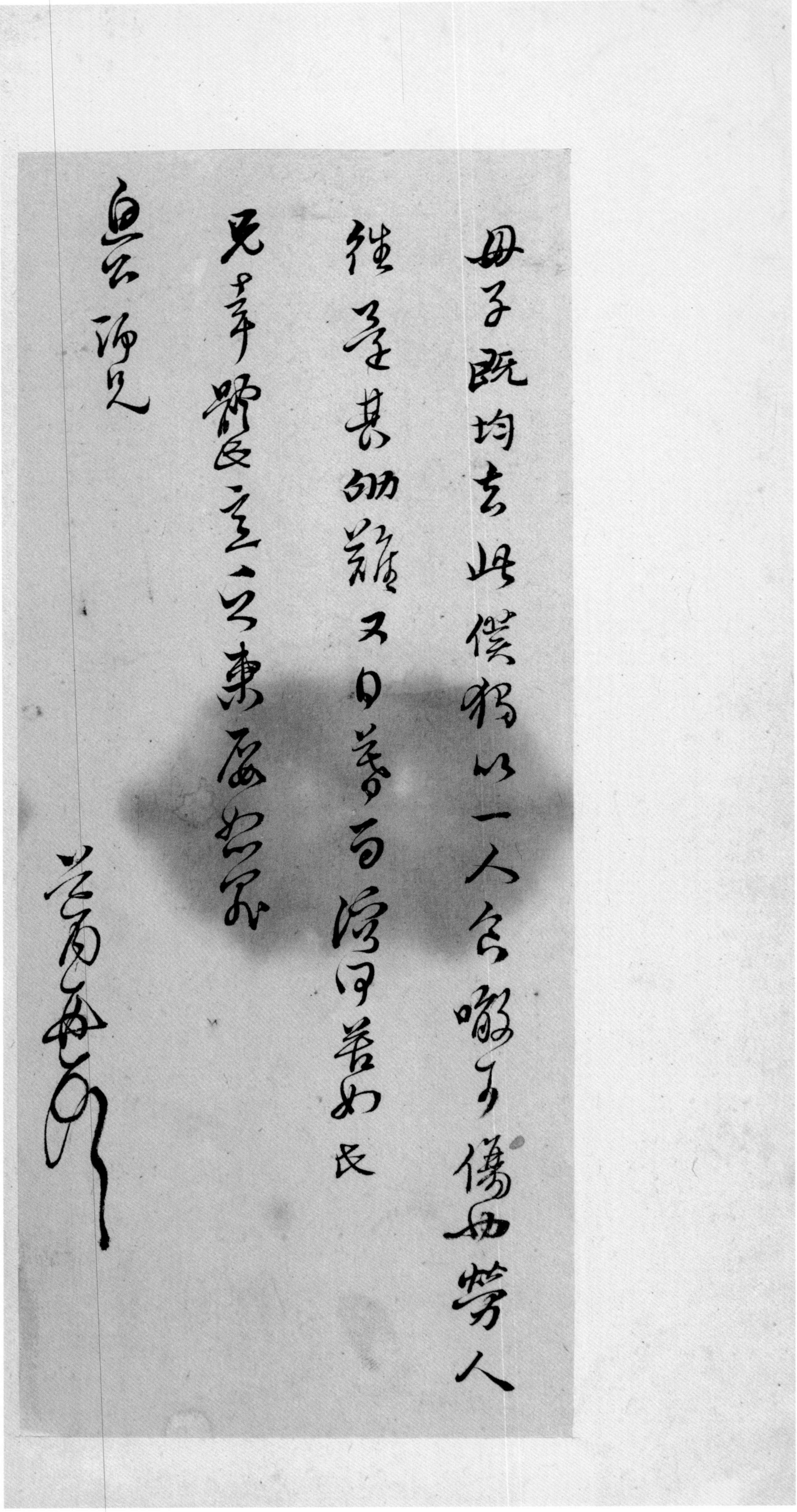

母子既均去，此僕獨以一人食噉，可傷也。勞人／往還，甚劬難，又日暮雨濘，何苦如此。／兄幸體此意，乏束屨，恕罪。／魚公帥兄。道周再頓首。／

三阮賦有之。震觲不知何所，豈近羌虜之地耶？
內有兩事未知出處。趙材陳秀豈
查考之不？

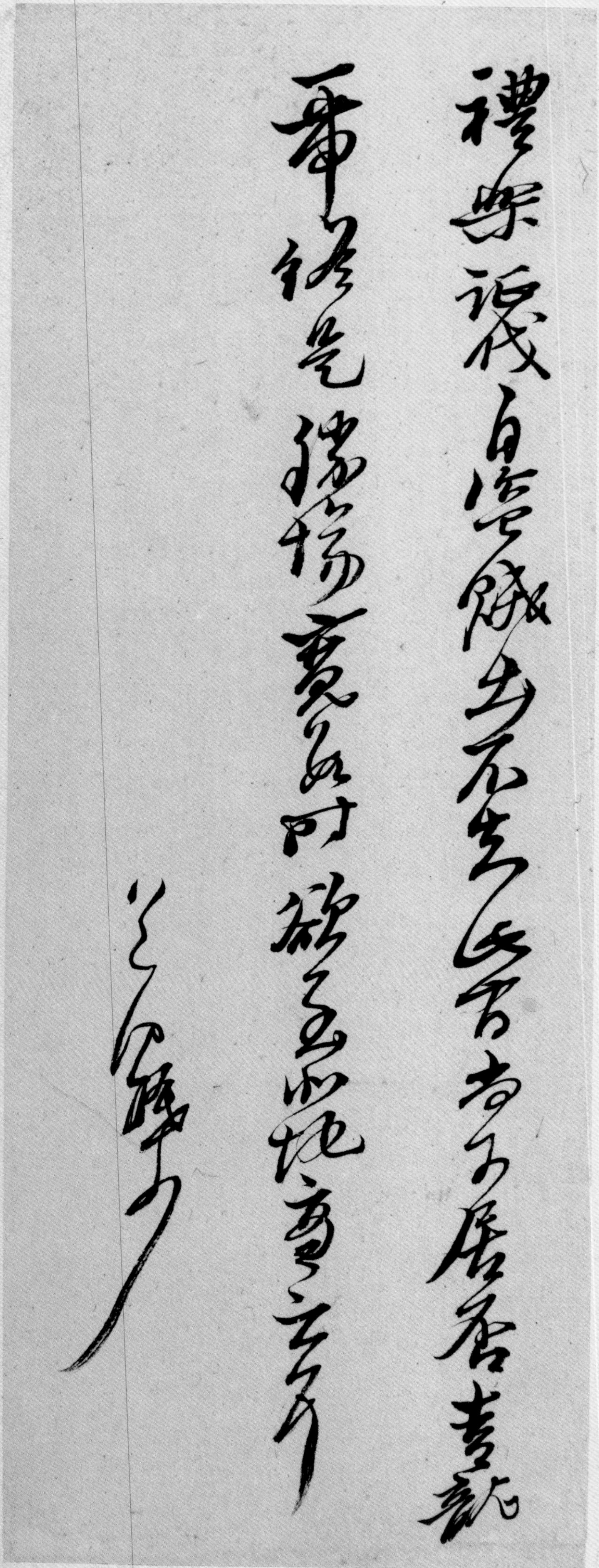

禮樂征伐，自盜賊出，不知此間尚可居否。青龍／一帶終是勝場，寬數時欲至北地商之耳。／道周稽頓首。／

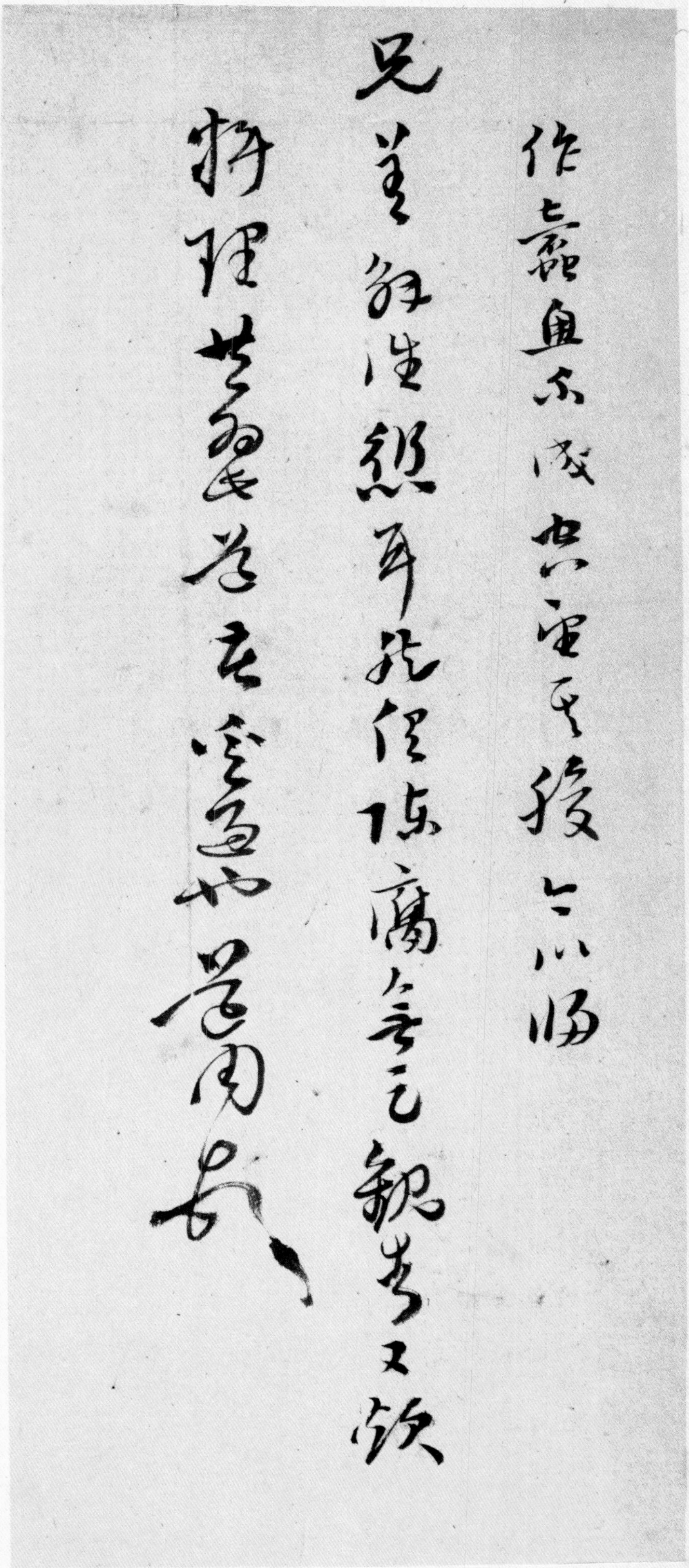

作羹魚不成　空望其腹　今以歸　乀兄差解私任從耳　然後陝廚　無以饋者　又煩乀料理其處此遺者　幸冀七　近人斬

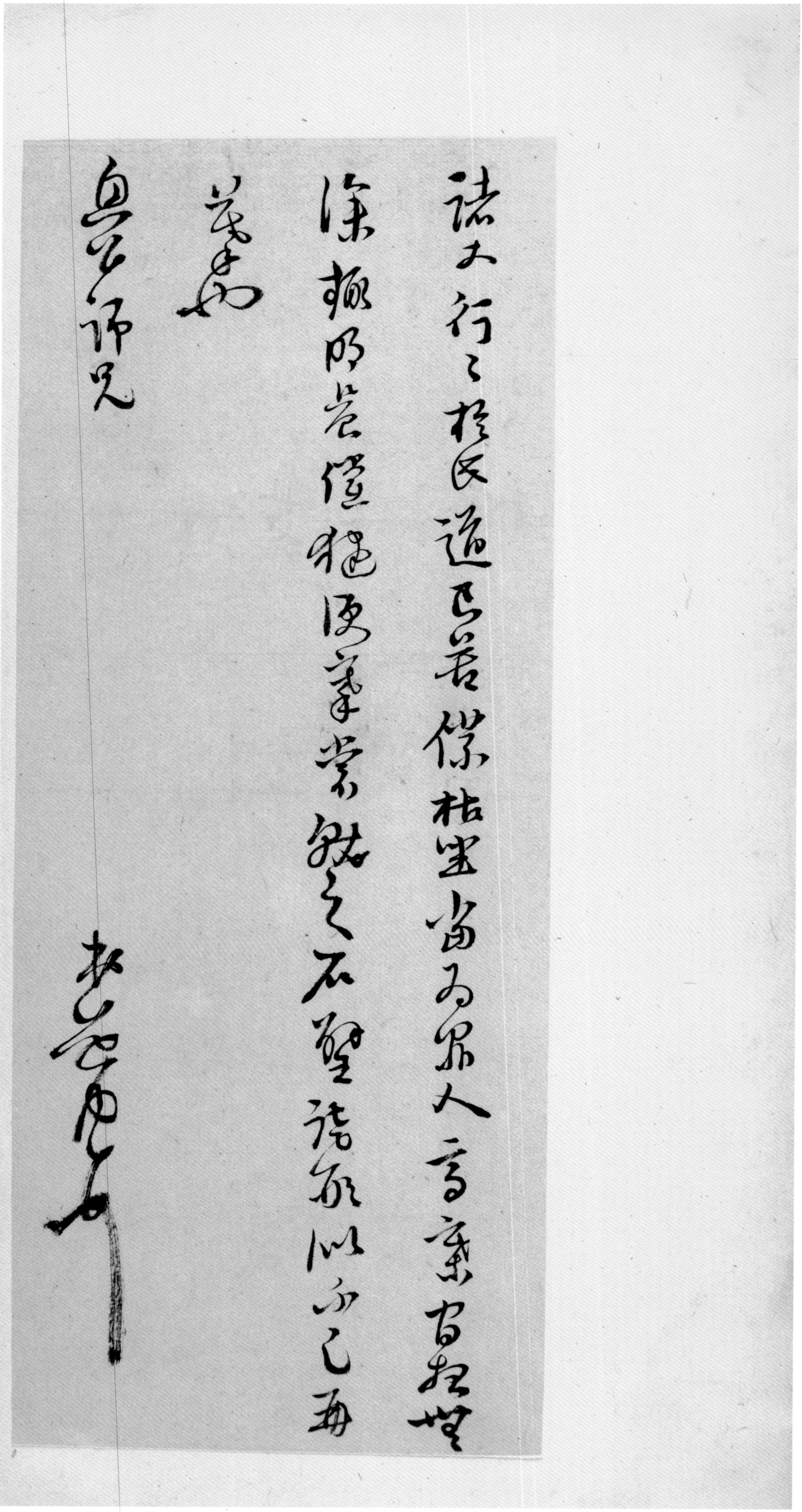

諸丈行行於此道，良苦。僕枯坐當爲罪人，高棄閑想，無/深趣。明晨儻健，便搴裳就之。石壁徒形似不已，再/摹也。魚公師兄。弟道周頓首。/

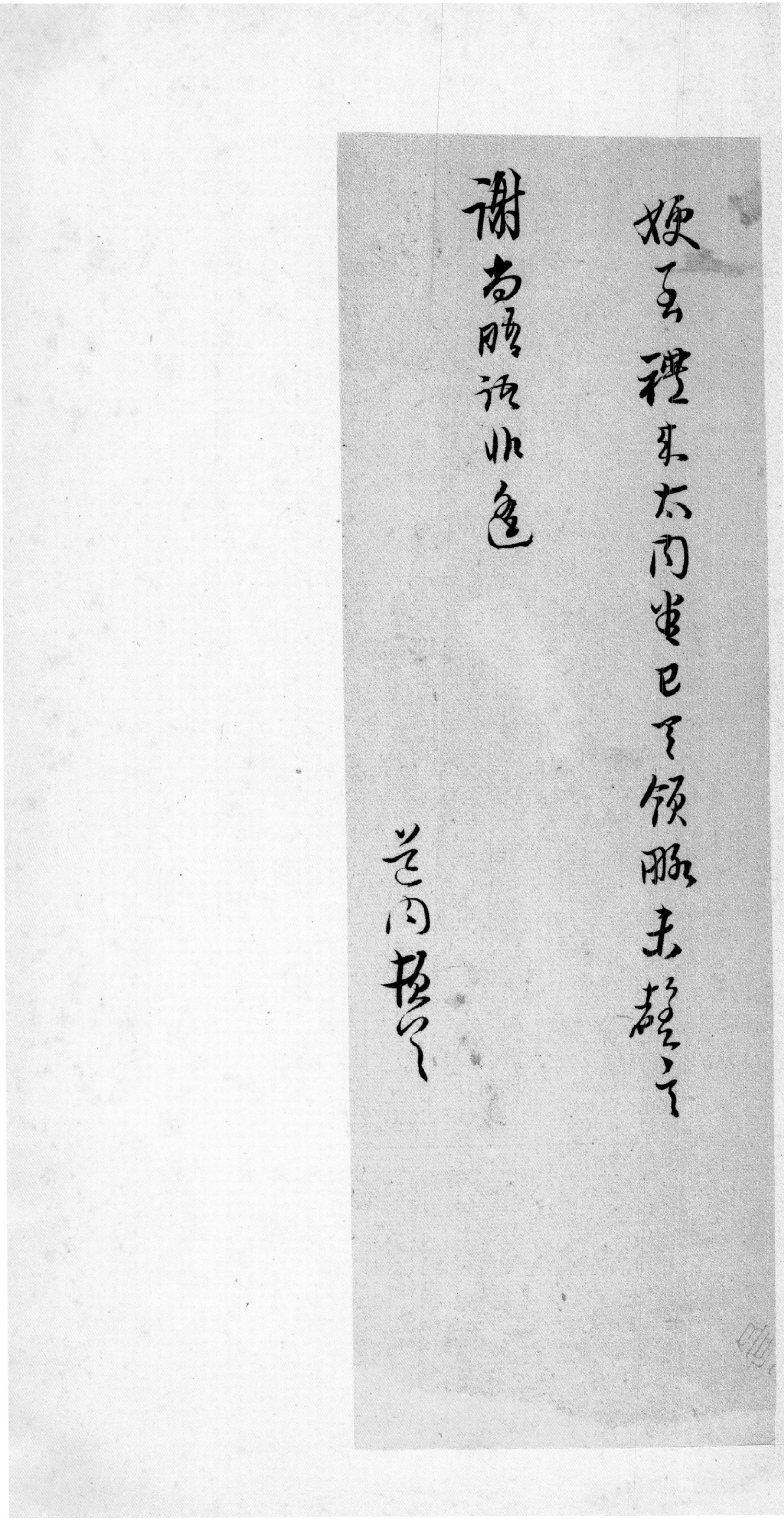

娅至禮來，太周悉，已具領略。未罄言／謝。尚晤語非遥。／道周頓首。／

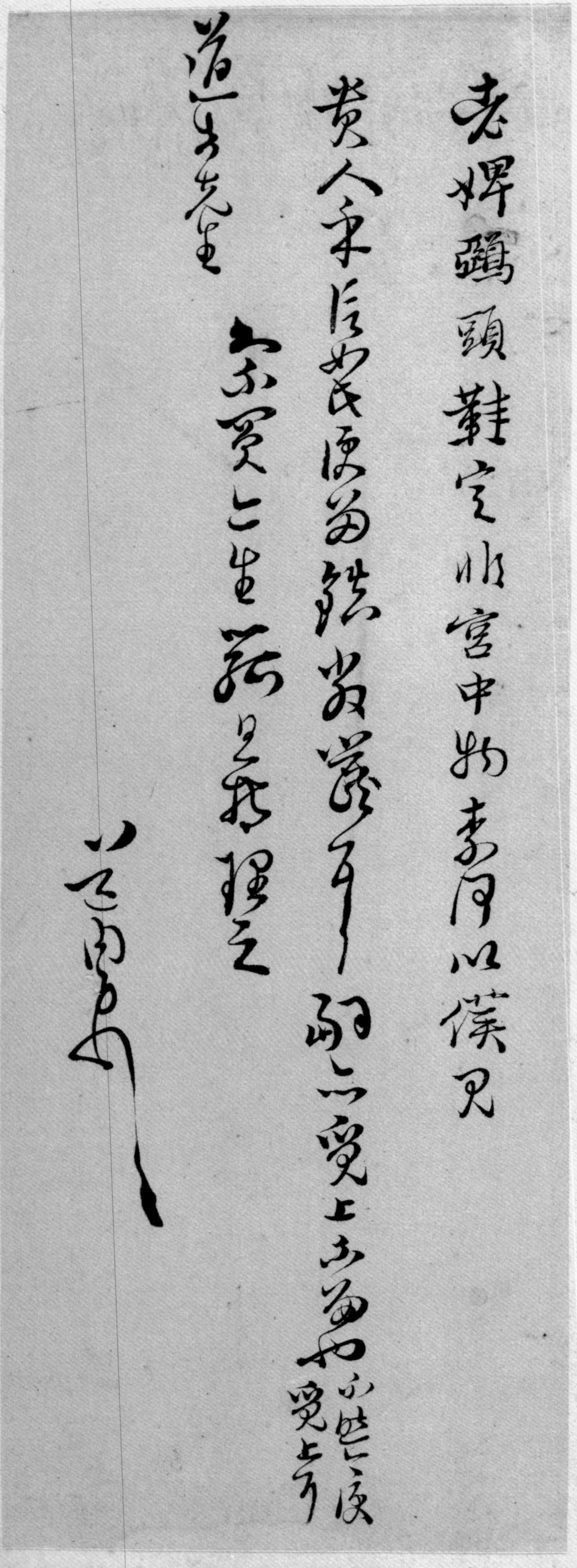

老婢鵶頭鞋，定非宮中物。奈何。以僕見ヽ貴人乎，信如此，便留鎮敝篋耳。嗣亦覓上不留也，不然，今便覓上耳。ヽ索買亦生疏，且待理之。ヽ道生先生。道周頓首。ヽ

臣之子足下兄坐杵臼之側無能以益酒浴旅何得貽人續命之縷也吾憂樂兄之所知並絕問候想不爲搓晨刻欲過從動定淒雨未能

太上之事適以相勉並

謝來悰諸不能悉

道周頓首

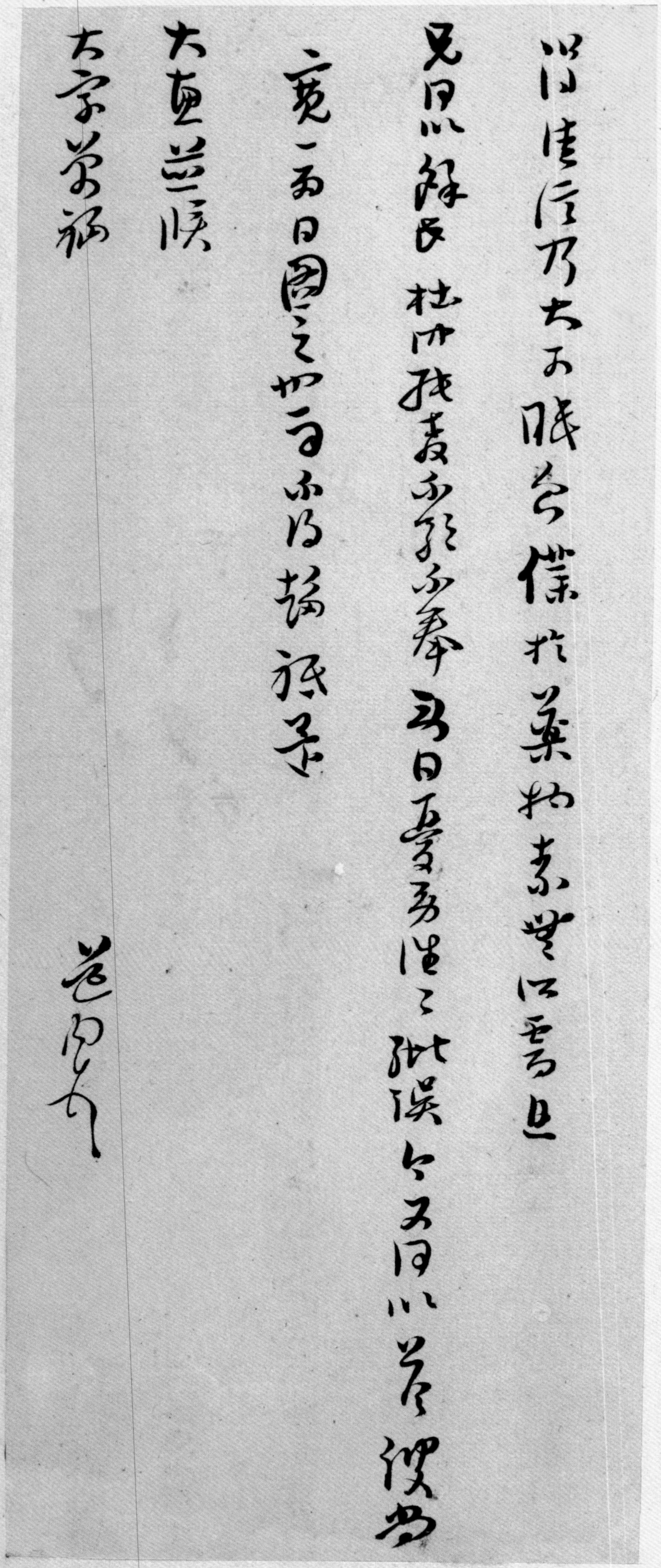

得佳信，乃大可眠食。僕於藥物，素無所需。且／兄何以餘此。杜仲純教，不敢不奉，勞日憂勞，往往紕误，今又何以答彼，尚／寬一兩日圖之也。雨不得邀，祗還。大惠。並矦／大家萬福。范周頓首。／

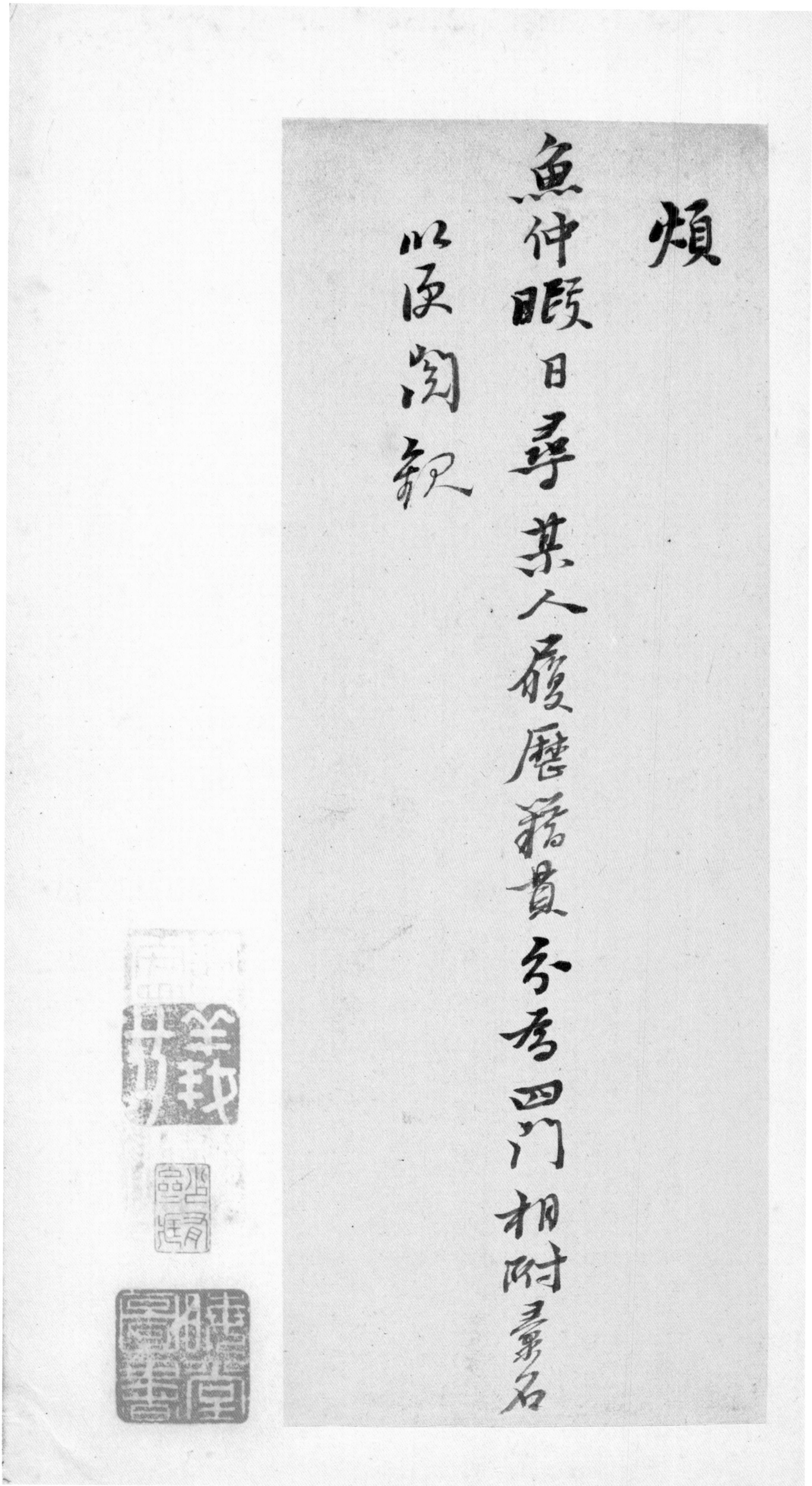
煩
魚仲暇日尋某人履歷籍貫分爲四門相附彙名
以便閲觀

煩／魚仲暇日尋某人履歷籍貫，分爲四門，相附彙名，／以便閲觀。／

石齋先生進則建言退則講學遭三黜而恬然獨從容以就義古之人古之人也間嘗論之在廷直戇似汲黯不懼黨禍講學不輟似蔡元定後師潰被擒絕食甚久閉於留都誘之恐之而不變又絕似文文山嗟乎神鼎既移尾閭作殿至誠惻怛之心寧待銅槃以封墓不忍抱器與徉狂彼招之者將何以哉先生事事高古詩文非淺學可窺書法雖若易知然非真好古亦弗能愛晦堂得其小札若干首書皆不經意作與他書不同洵瓦注賢於黃金也晦堂既好之篤如能深伐其神髓亦何異探魏晉乎中有一札禮樂征伐自盜賊出言閫事也當時有鉅帥降寇出身封爵擅權故云然先生去閩南下之志已見乎此矣

辛亥歲五月十二日

山陰潘寧書後

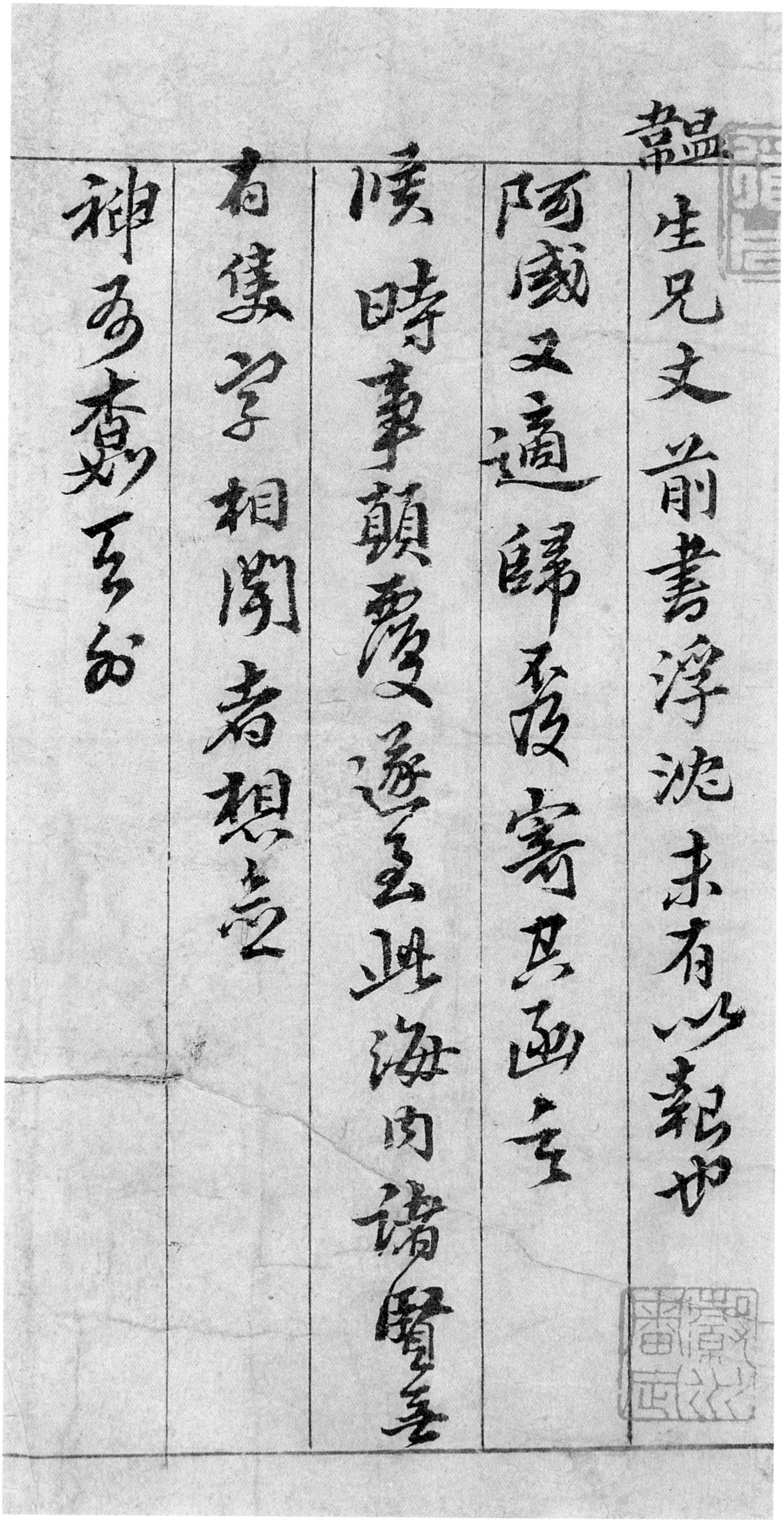

韞生兄丈：前書浮沈，未有以報也。／阿盛又適歸，不及寄空函玄／候。時事顛覆遂至此，海內諸賢無／有隻字相聞者，想念／神州，杳如天外。／

浮沈：形容境況安危不定。

玄候：遠候，遙遠的問候。玄：遠。

啓運：指新皇帝登基。

文檄：即檄文。古代用於聲討、宣戰的文書。

邸報：指朝廷的官報。

無繇：同『無由』。没有辦法。

皇皇：同『惶惶』。

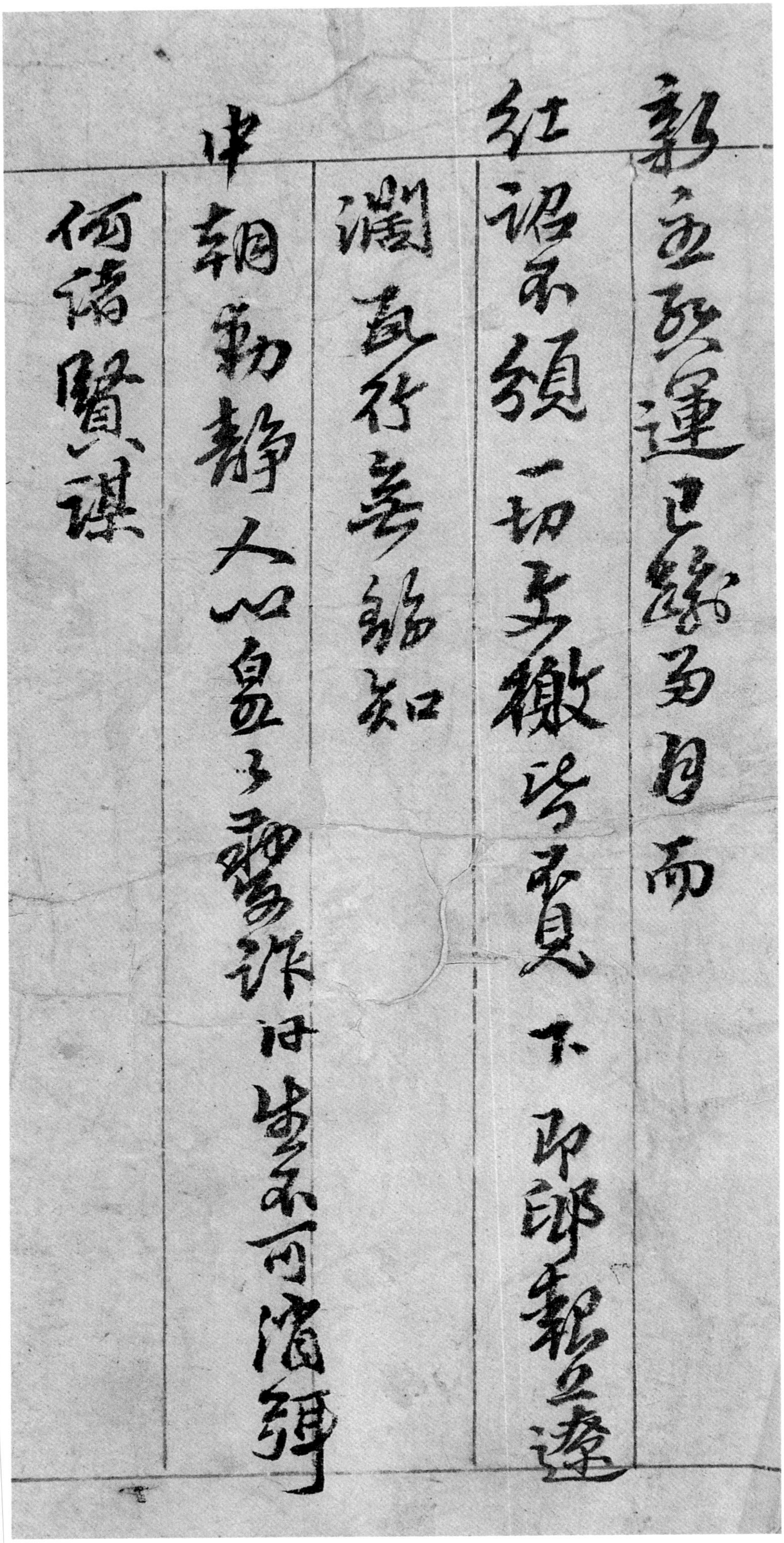

新主啓運已踰多月而
紅詔不頒一切文檄皆不見下即邸報亦遼
闊瓦行無繇知
中朝動静人心皇皇變詐日生不可消弭
何諸賢謀

新主啓運，已踰多月，而／紅詔不頒，一切文檄皆不見下，即邸報亦遼／闊，瓦行無繇知／中朝動静，人心皇皇，變詐日生，不可消弭，／何諸賢謀／

國之疏也！王茂弘欲網漏吞舟，宗汝霖欲／詔令日發，意識雖殊，總圖其大者耳。／今四鎮未寧，江淮未清，而日尋是非，玄／黄再起，一事見端，百緒丕斷，可嘆也！僕生／處天末，無繇知／

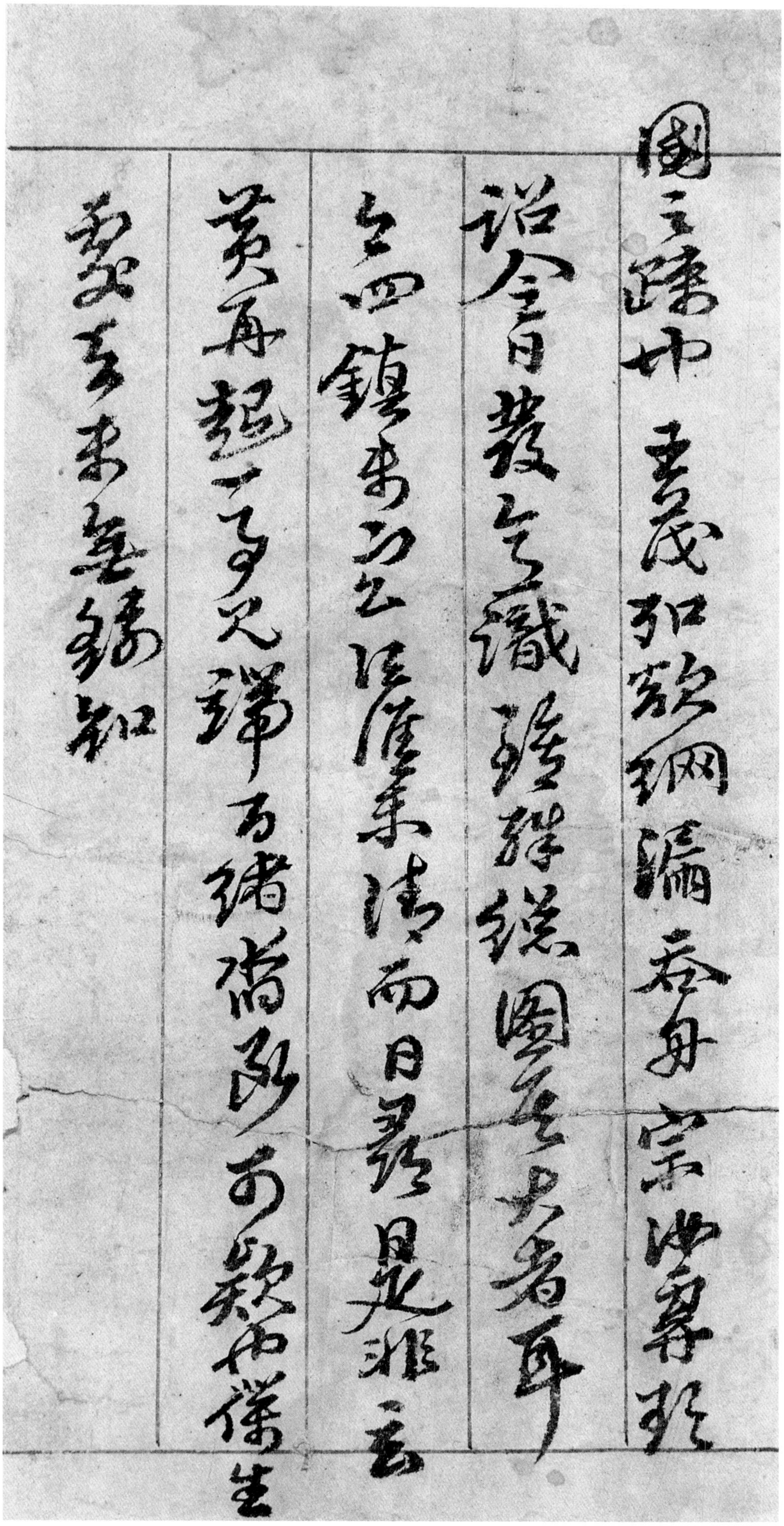

網漏吞舟：比喻法網疏寬，大奸得脱。典出《史記·酷吏列傳序》：『漢興，破觚而爲圜，斲雕而爲樸，網漏於吞舟之魚，而吏治烝烝，不至於姦，黎民艾安。』網漏：謂法網疏寬。吞舟：極言魚大可吞舟。

玄黄：指戰亂。《易·坤》：『龍戰於野，其血玄黄。』高亨注：『二龍搏鬥於野，流血染泥土，成青黄混合之色。』

天末：天的盡頭，指極遠的地方。

耕鑿：耕田鑿井。形容人民辛勤勞動，生活安定。語出古詩《擊壤歌》：『日出而作，日入而息，鑿井而飲，耕田而食，帝利於我何有哉？』

岑寂：孤寂。

泐：書信用語，指寫信。

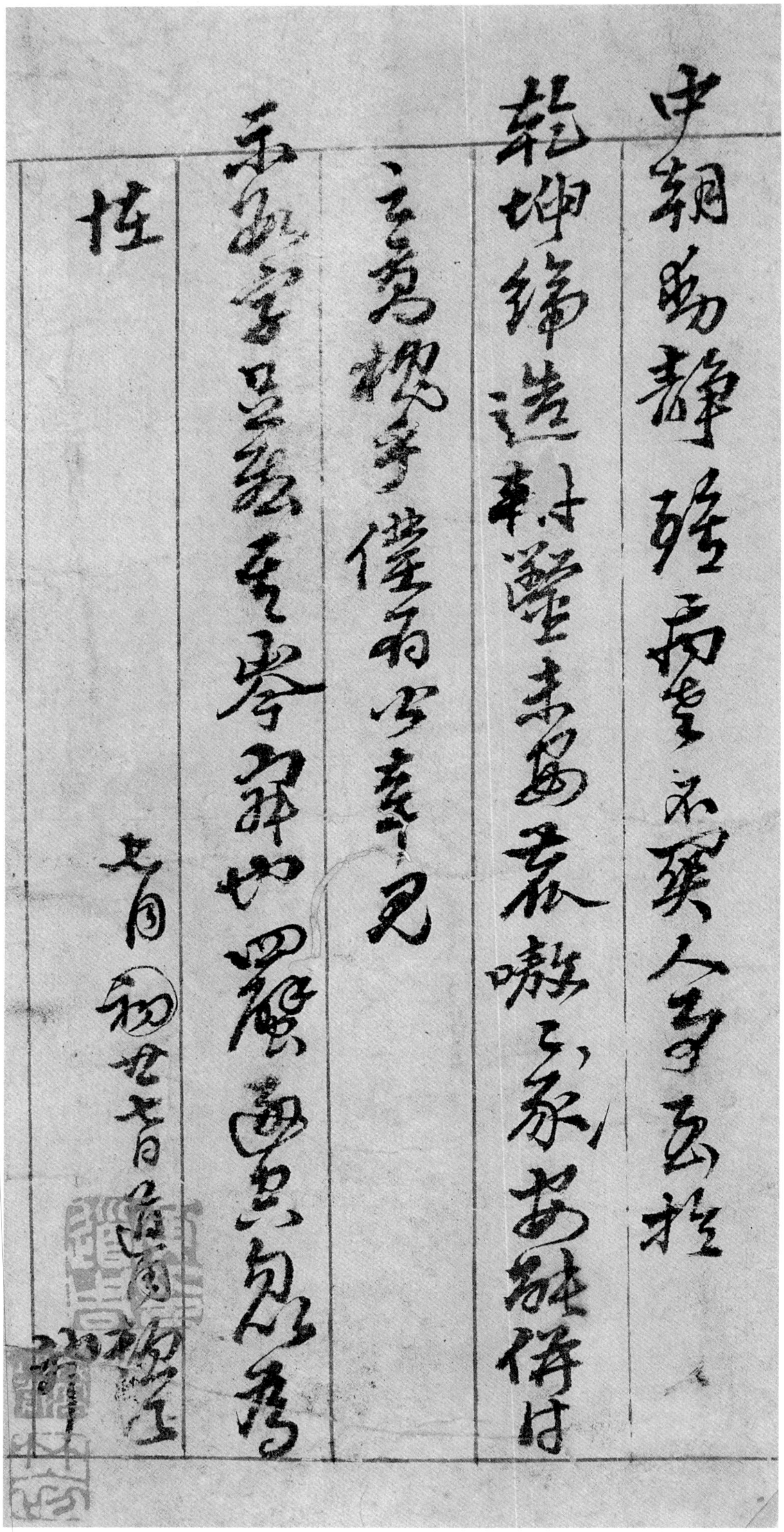

中朝動静，雖病老不闕人事，至於/乾坤締造，耕鑿未安，鹿嗷嗷，家（嗷嗷），安能倂付/之高枕乎？僕有公，幸見/示數字，足慰其岑寂也。四壁壺空，勿以爲/恠。七月（初）廿七日道周頓首泐。/

石城寺諸友過集詩軸

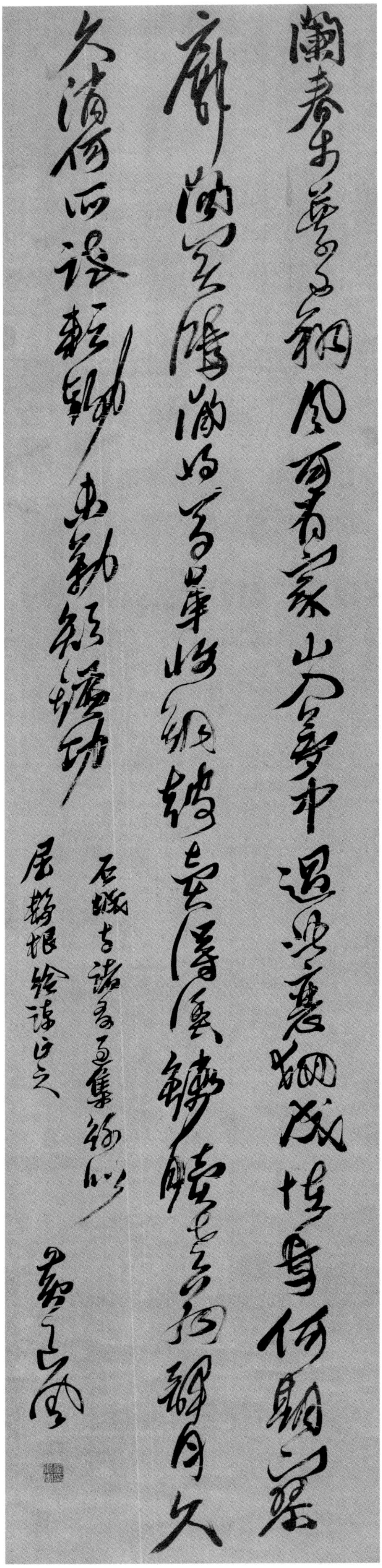

闌春木葉已翔風，可有家山入夢中。過此裴徊成恠鳥，何期寥〵廓問冥鴻。閒將馬革收銅鼓，賣得漁錢贖老翁。髀肉久〵（久）消何所試，耘鋤未勒短鐮功。石城寺諸友過集，録似屈静根給諫正之。黄道周。〵

闌春：殘春。

寥廓：廣闊深遠的天空。

冥鴻：高飛的鴻雁。

耘鋤：指農作。

裴：通『徘』。徘徊：迴旋往返。

録似：録呈。

恠鳥：指鵩鳥。比喻不祥之人。語本漢賈誼《鵩鳥賦》序：『誼爲長沙王傅，三年，有鵩鳥飛入誼舍，止於坐隅。鵩似鴞，不祥鳥也。』此句典出《晉書·孫盛傳》：『盛與溫牋，而辭旨放蕩，稱州遣從事觀採風聲，進無威鳳來儀之美，退無鷹鸇搏擊之用，徘徊湘川，將爲怪鳥。』

髀肉久消：大腿上不生肉。典出《三國志》卷三十二《蜀書·先主傳》：『曹公既破紹，自南擊先主。先主遣麋竺、孫乾與劉表相聞，表自郊迎，以上賓禮待之，益其兵，使屯新野。荊州豪傑歸先主者日益多，表疑其心，陰禦之。』南朝宋裴松之注引《九州春秋》曰：『備住荊州數年，嘗於表坐起至廁，見髀裏肉生，慨然流涕。還坐，表怪問備，備曰：「吾常身不離鞍，髀肉皆消。今不復騎，髀裏肉生。日月若馳，老將至矣，而功業不建，是以悲耳。」』

何期之

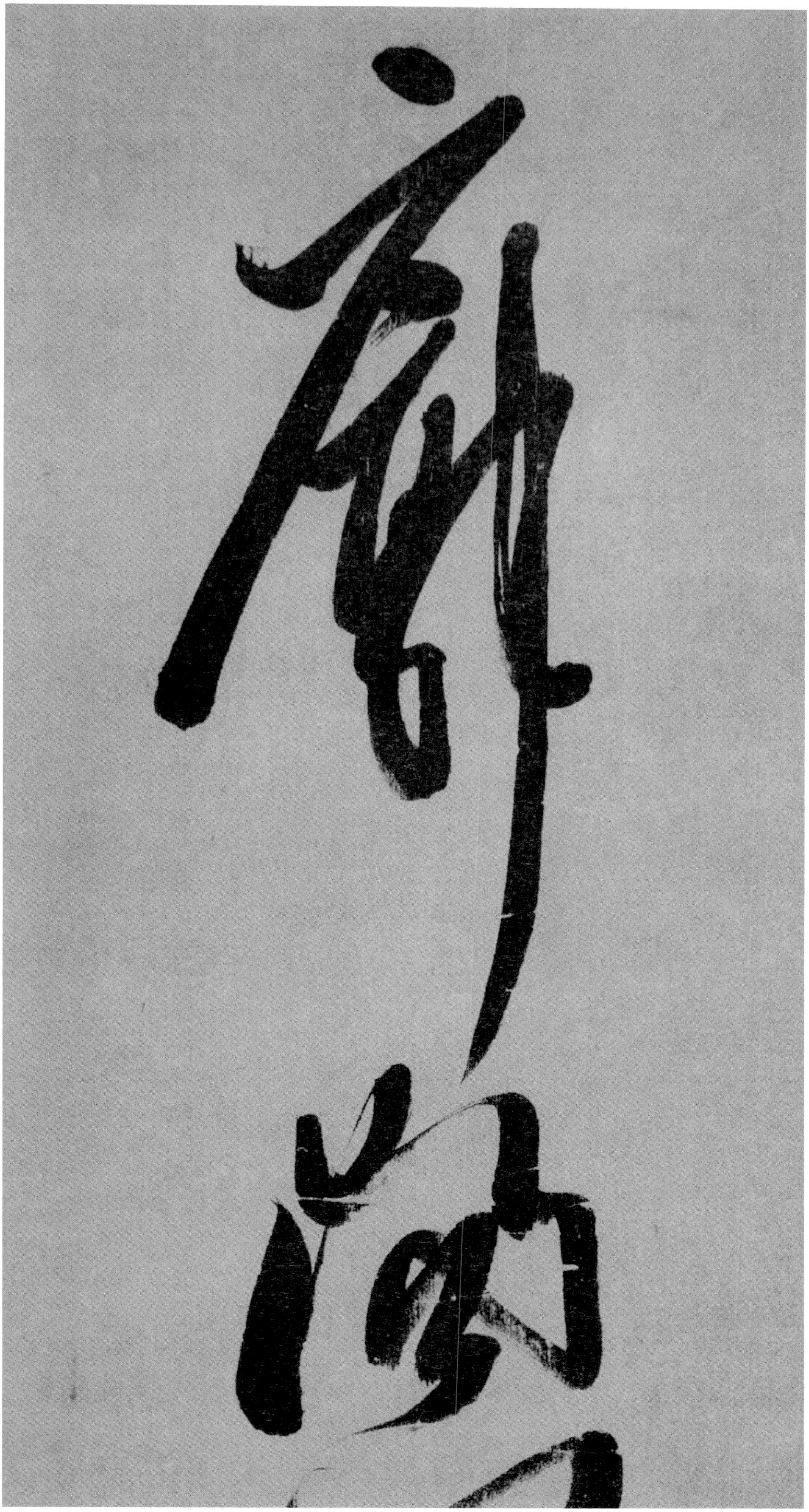

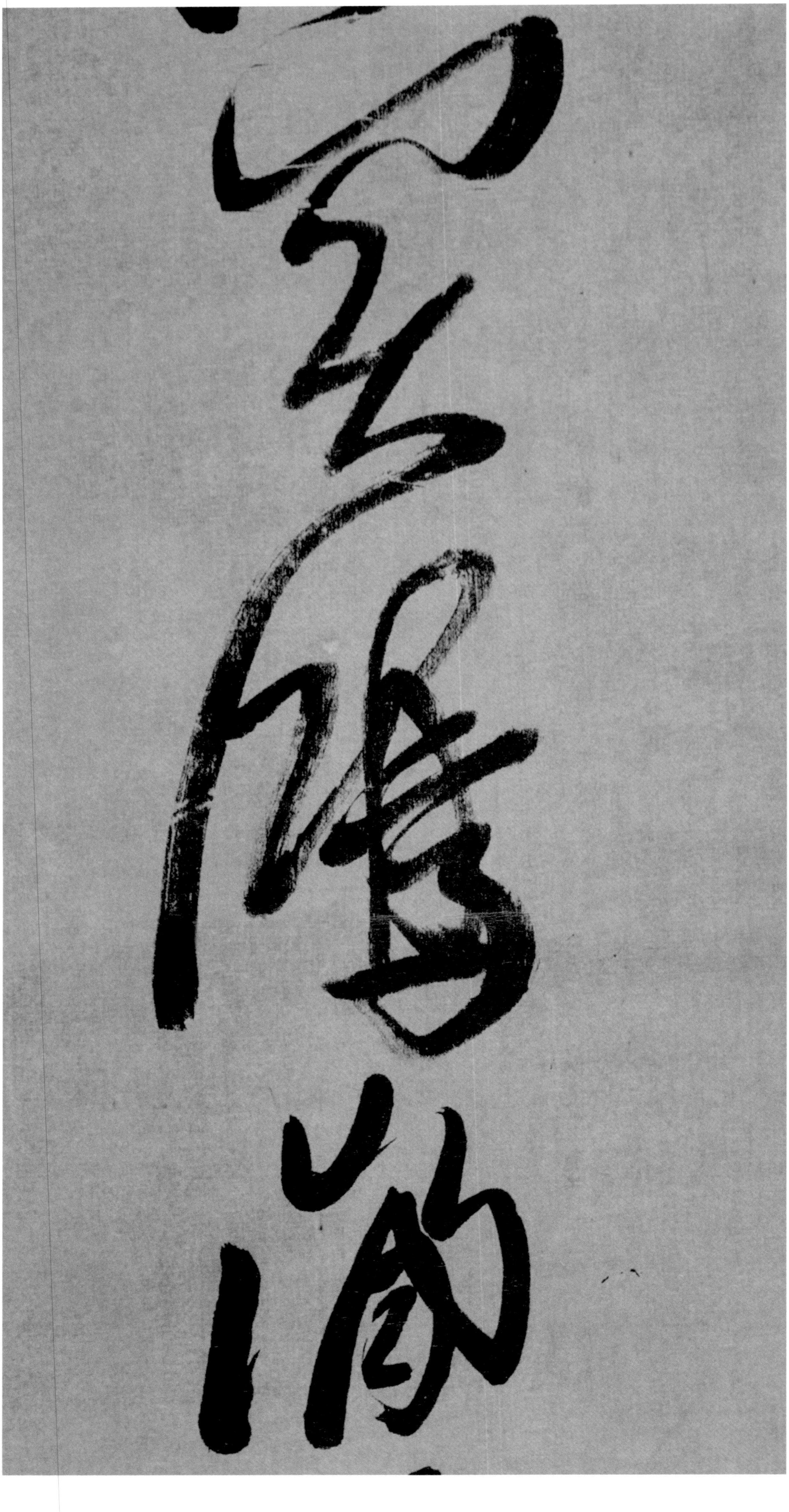

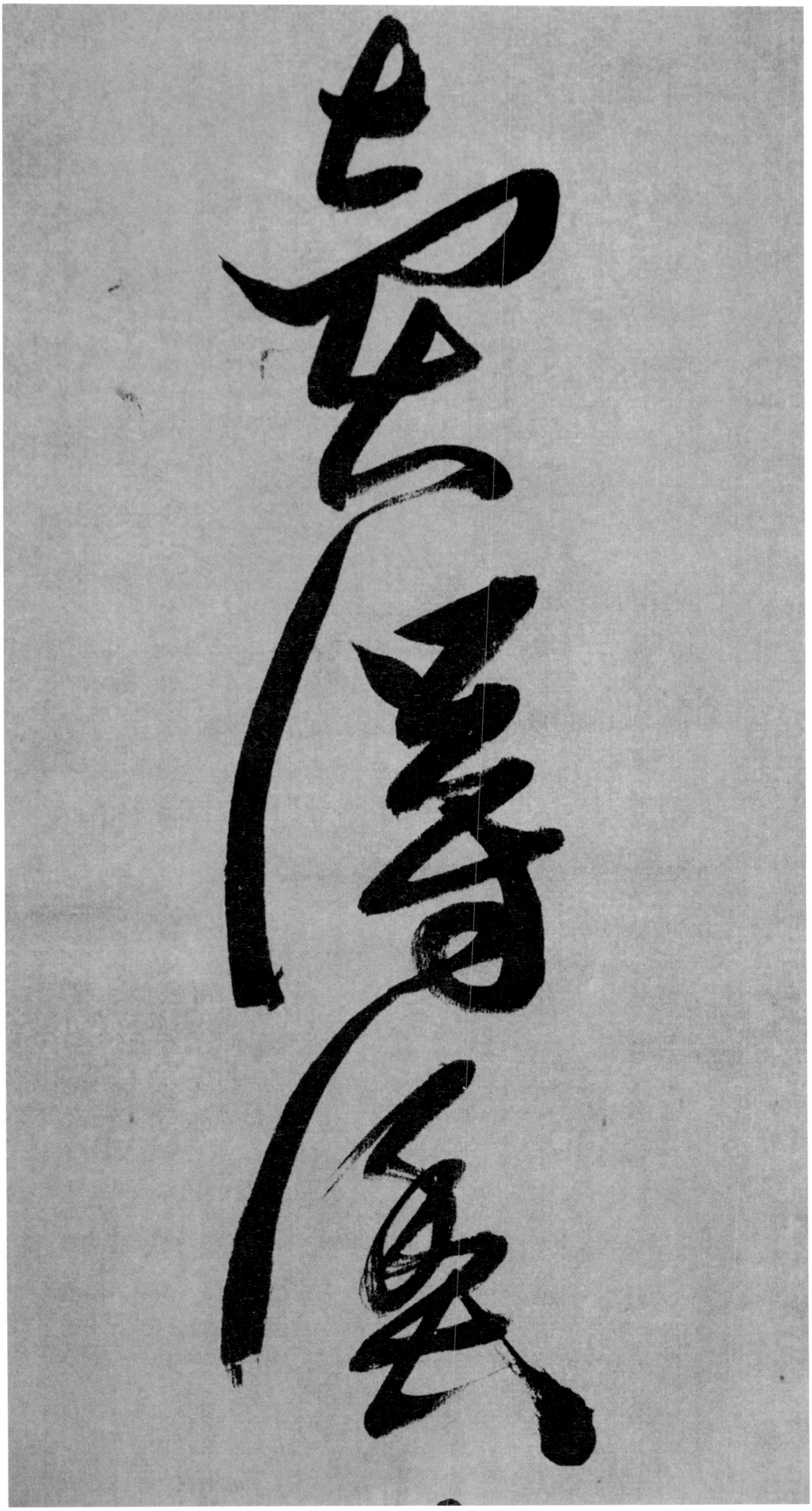

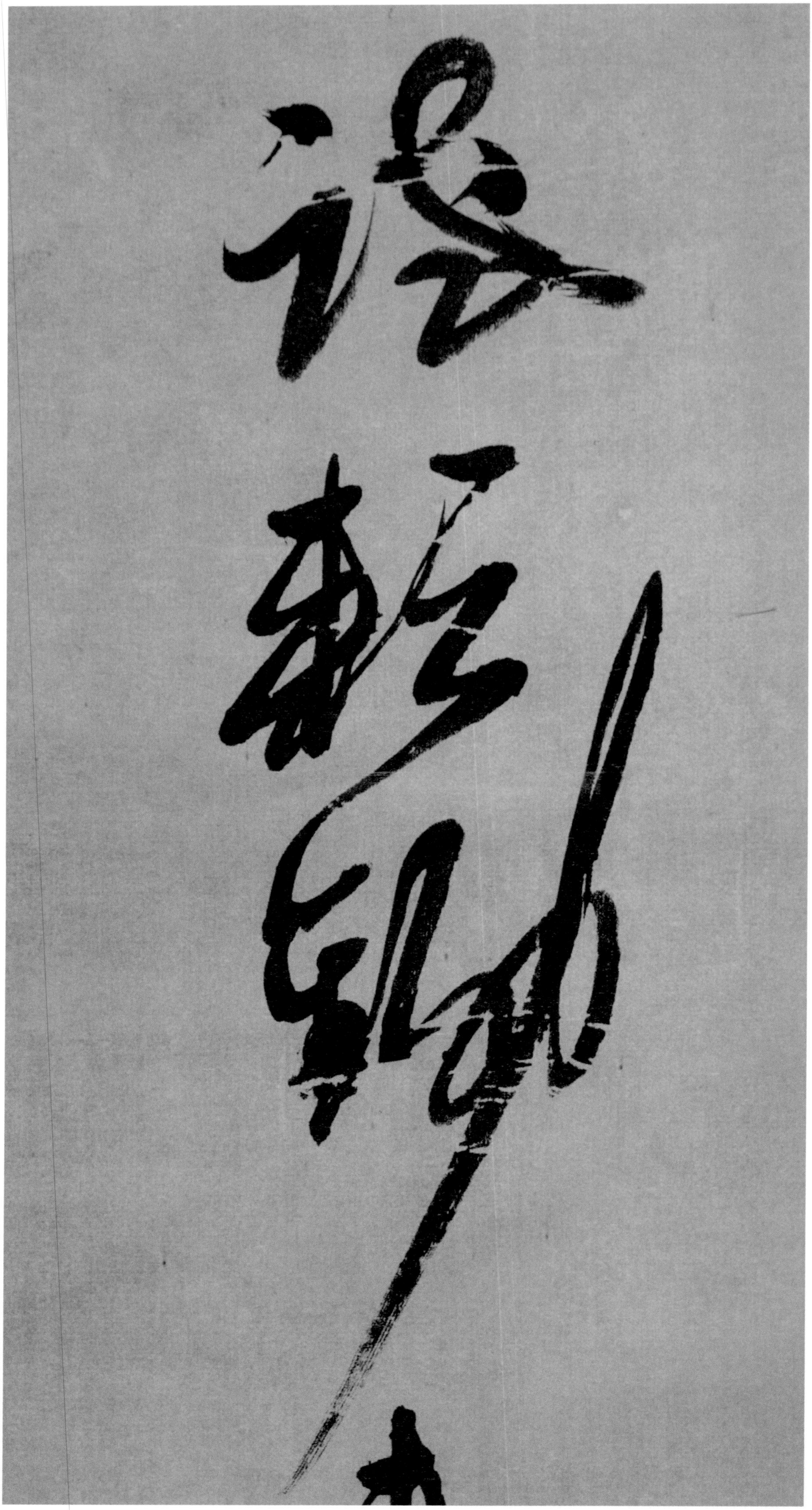

歷代集評

至人惟一石齋。其字畫爲館閣第一，文章爲國朝第一，人品爲海宇第一，其學問直接周、孔，爲古今第一。

——明　徐霞客《滇遊日記》

石齋先生楷法尤精，所謂意氣密麗，如飛鴻舞鶴，令人叫絶。

——清　宋犖《漫堂書畫跋》

楷法格調適媚，直逼鍾王。

——清　王文治《快雨堂題跋》

行草筆意，離奇超妙，深得二王神髓。

——清　秦祖永《桐陰論畫》

石齋先生書，于精熟中出生辣，根矩晉法兼涉魏、齊，非文、董輩所能及。近年瑰跡疊出，益寶重於世。竊謂宜專勒一石刻，如《忠義堂》、《晚香堂》之例，方足以垂久遠。

——清　何紹基《東洲草堂書論鈔》

圖書在版編目（CIP）數據

黄道周書法名品/上海書畫出版社編. —上海：上海書畫出版社，2014.8

（中國碑帖名品）

ISBN 978-7-5479-0857-0

Ⅰ.①黄… Ⅱ.①上… Ⅲ.①①漢字—法帖—中國—明代

Ⅳ.①J292.26

中國版本圖書館CIP數據核字（2014）第173898號

中國碑帖名品［九十二］

黄道周書法名品

本社 編

責任編輯 孫稼阜
釋文注釋 俞 豐
審　　定 沈培方
責任校對 郭曉霞
封面設計 王 峥
整體設計 馮 磊
技術編輯 錢勤毅

出版發行 上海書畫出版社
地址 上海市延安西路593號 200050
網址 www.shshuhua.com
E-mail shcpph@online.sh.cn
印刷 上海界龍藝術印刷有限公司
經銷 各地新華書店
開本 889×1194mm 1/12
印張 6 2/3
版次 2014年8月第1版
2021年4月第5次印刷

書號 ISBN 978-7-5479-0857-0
定價 60.00元